Les Colombes du Roi-Soleil

© Éditions Flammarion, 2006
© Éditions Flammarion pour la présente édition, 2010
87, quai Panhard-et-Levassor – 75647 Paris cedex 13
ISBN : 978-2-0812-3039-2

ANNE-MARIE DESPLAT-DUC

Les Colombes du Roi-Soleil

La promesse d'Hortense

Flammarion

CHAPITRE

1

Je m'appelle Hortense de Kermenet, j'ai seize ans. J'ai été élevée dans la Maison Royale d'Éducation de Saint-Cyr grâce à la charité du Roi qui a sans doute eu pitié de la misère dans laquelle se débattait mon père. Il s'était ruiné en levant une armée pour servir la royauté et aussi à cause d'une fort mauvaise gestion de sa terre. La toiture du château familial ressemblait à une passoire et il pleuvait dans la plupart des pièces. Faute de recevoir leurs gages, tous les domestiques étaient partis, sauf Babeth, la nourrice qui nous avait élevées, ma sœur Marie et moi.

Je n'étais pourtant point malheureuse, parce que nos parents nous prodiguaient toute leur tendresse.

Mon père nous servait de précepteur et ma mère nous assurait les leçons de morale et de religion.

Las, le choléra emporta ma mère et ma sœur en quelques semaines. J'avais huit ans. Mon chagrin fut immense et je crus que mes larmes ne tariraient jamais. Pourquoi Dieu avait-il choisi de m'épargner ? Ma sœur était plus jolie que moi, plus intelligente aussi et plus pieuse, et ma mère était si douce et si bonne. Les premiers temps, j'aurais voulu les suivre dans la tombe. Puis je me persuadai que Dieu m'avait choisie pour vivre afin que je le servisse de mon mieux.

Mon père, quant à lui, se laissa aller au chagrin et ne s'occupa plus de rien. Babeth peinait pour nous trouver à manger et ne cessait de se lamenter sur mon sort :

— Ma pauvre Hortense, que vas-tu devenir ?

Cela ne me souciait pas. Je n'avais aucun attrait pour les belles robes, les bijoux et la bonne chère, et vivre chichement ne me coûtait pas.

Je me voyais bien passer le reste de ma vie dans l'inconfortable château avec mon père et Babeth.

Elle ne l'entendait probablement pas de cette oreille et, d'après ce qu'elle m'a raconté, elle remua ciel et terre pour que j'échappe à ma triste condition. À force de persuasion, elle réussit à sortir mon père de sa torpeur afin qu'il cherchât un lieu susceptible d'accueillir une demoiselle bien née mais sans le sou pour parfaire son éducation. L'évêque avait entendu parler de l'institution fondée par Mme de Maintenon. Il conseilla à mon père de faire une demande. J'ignore par quel miracle elle fut acceptée.

C'est ainsi qu'un jour Babeth m'accompagna jusqu'à la porte de la maison de Rueil où Mme de Brinon et Mme de Maintenon avaient regroupé une vingtaine de fillettes tout aussi misérables que moi.

Les premiers temps, l'enfermement me pesa. Il me manquait l'air de ma Bretagne, le vent sous les tuiles du toit, le patois, la voix de mon père, et la chambre de ma mère et de ma sœur où j'aimais me réfugier lorsque la nostalgie m'envahissait.

Rapidement pourtant, je mesurai la chance que j'avais eue d'être acceptée dans cette maison où j'étais vêtue correctement, où il ne pleuvait pas sur mon lit et où je mangeais à ma faim, ce qui n'était plus le cas depuis plusieurs mois.

Le calme de nos journées, rythmées par les prières, la messe, les leçons de nos maîtresses et les récréations, fit que je m'acclimatai bien et, plus tard, dès notre installation à Saint-Cyr, l'amitié d'Isabeau, Louise et Charlotte mes voisines de lit, me réchauffa le cœur[1].

---

1. Voir *Les Comédiennes de Monsieur Racine.*

Cette existence tout entière tournée vers Dieu me convenait et j'avais du mal à admettre que Charlotte, huguenote convertie de force au catholicisme, ne partageât pas le même enthousiasme que moi pour la vie monastique. Je m'étais même promis de tout mettre en œuvre pour lui faire oublier son ancienne religion et lui montrer la beauté de la nôtre.

Et puis sans que je m'y attende, ma vie avait basculé.

C'était très exactement le 26 janvier 1689.

Je jouais Asaph, un officier du grand roi de Perse Assuérus dans la pièce écrite par M. Racine pour les demoiselles de la classe jaune : *Esther*. Un rôle fort modeste qui me convenait parfaitement, n'ayant aucun ragoût[1] pour m'exposer aux yeux de tous sur une scène. J'espérais seulement ne pas écorcher le magnifique texte du dramaturge et ne pas me prendre les pieds dans la longue tunique dont j'étais vêtue afin de ne pas gâcher la représentation et le plaisir du Roi.

Tout se passa bien. Enfin, en ce qui concerne la pièce... parce que pour le reste, ce fut un sérieux chambardement.

Alors que je récitais ce vers qu'après coup j'ai jugé prémonitoire : « Il voit l'astre qui vous éclaire »,

1. Ragoût : goût.

mon regard se porta vers le fond de la pièce et fut illuminé par le regard d'un grand et beau jeune homme, Simon, dont j'appris plus tard qu'il était le frère de mon amie Charlotte.

Je luttai contre ce sentiment bizarre qui m'envahissait et m'empêchait de me consacrer pleinement aux études et à la prière. Mes amies, à qui j'avouai mon tourment, me conseillèrent et, après bien des hésitations, je dus me rendre à l'évidence : j'étais amoureuse. L'envie d'entrer au couvent pour me consacrer à la religion m'abandonna et (je dois le reconnaître avec honte) fut remplacée par l'envie d'être blottie dans les bras de Simon.

Pourtant, je savais que c'était impossible avant ma sortie de cette maison à l'âge de vingt ans, dotée par le Roi comme cela était prévu par le règlement.

Il me fallait donc attendre.

Je m'imaginais donc vivre sereinement les quatre années qui me séparaient de la félicité du mariage, entourée de mes amies qui rêvaient d'avoir la même chance que moi. Nous avions toutes si peur que Mme de Maintenon ou nos parents ne nous arrangent un mariage avec un vieux barbon !

Mais Louise partit au printemps pour charmer de sa voix mélodieuse la reine d'Angleterre exilée à

Saint-Germain[1] et, quelque temps plus tard, Charlotte, qui ne supportait plus l'existence au sein de notre maison, commit la folie de s'enfuir de Saint-Cyr pour s'enivrer des plaisirs de la Cour[2]. Je restai seule avec la douce Isabeau qui, comme moi, eut beaucoup de peine à s'habituer à leur absence. Nos longues discussions dans l'obscurité du dortoir nous manquaient cruellement. À deux, ce n'était plus pareil.

Un soir où l'absence de nos amies était particulièrement insupportable, je dis à Isabeau :

— Jurons de ne pas nous séparer et d'attendre ensemble nos vingt ans... parce que si l'une de nous part, ce sera trop pénible pour celle qui restera.

Isabeau jura. Je fis le même vœu solennel.

Et pourtant !

---

1. Voir *Le Secret de Louise*.
2. Voir *Charlotte, la rebelle*.

2

Marguerite de Caylus[1], la jeune nièce de Mme de Maintenon qui venait souvent à Saint-Cyr, nous avait prises toutes les quatre en affection depuis que nous avions joué ensemble dans *Esther*. Elle avait, entre autres, favorisé la fuite de Charlotte car lui faire découvrir la vie à la Cour l'amusait. Mon histoire d'amour avec Simon la divertissait tout autant et elle prenait plaisir à nous servir de messager. Lorsqu'elle assistait aux vêpres dans la chapelle de Saint-Cyr, elle me remettait les lettres

---

1. La jeune comtesse Marguerite de Caylus était la nièce de Mme de Maintenon. Cette dernière avait épousé Louis XIV en secret dans la nuit du 9 au 10 octobre 1683.

de Simon cachées dans un livre de prières. De la même manière, en tremblant, je lui rendais le livre à la fin de l'office après y avoir glissé un message difficilement rédigé la nuit sous la couverture. Ne pouvant me servir d'un encrier dans mon lit sans risquer de le renverser et ne pouvant écrire dans la journée sans attirer l'attention des maîtresses, je formais les lettres et les mots en perçant une feuille de papier avec une aiguille à broder. C'est Marguerite de Caylus qui m'avait suggéré cette manière de correspondre. Elle l'avait lu dans un roman. Je n'avais, quant à moi, jamais ouvert un de ces ouvrages impies.

Ma vie avait pris une saveur nouvelle depuis ma rencontre avec Simon et j'attendais avec fébrilité ses poulets[1]. Les lire en cachette me procurait une joie et une angoisse sans pareilles. Je rougissais souvent à ses propos, m'étonnant d'inspirer une telle passion. En retour, mes lettres étaient d'une sagesse exemplaire. Pourtant, au fil des jours, il m'arriva de laisser poindre mon impatience à découvrir la douceur d'être à ses côtés mais je n'allais pas plus avant dans la confession intime.

Cependant, les billets de Simon devinrent de plus en plus pressants. Sa hardiesse me choquait. Je

1. Billet doux.

l'exhortais à la vertu en lui assurant que mon cœur était tout à lui.

Et puis un jour la lettre que je reçus m'affola au plus haut point. Il disait :

Ma mie,

Je ne peux demeurer plus longtemps loin de vous. Tenez-vous, demain après minuit, près de la porte sud, je viendrai vous y chercher. Nous nous marie-rons et pourrons enfin nous aimer. Simon.

Je me sentis pâlir, puis rougir. J'avais chaud et je craignais que mes jambes ne se dérobent sous moi lorsqu'il faudrait sortir de la chapelle en rang par deux. Je présentai discrètement le message à Isabeau qui était à mon côté. Elle le lut et me glissa un regard épouvanté.

Simon était devenu fou. Comment osait-il me demander de fuir cette maison comme... comme une voleuse alors que j'y avais été accueillie, ins-truite et nourrie depuis de si nombreuses années ? Jamais je ne pourrais commettre un tel sacrilège ! Mon père me faisait confiance pour que je conduise ma vie droitement. Mme de Maintenon me faisait confiance. Le Roi me faisait confiance... et Simon me proposait de trahir ces personnes de si haute importance ? Impossible.

Les chants résonnaient sous les voûtes de la chapelle. Je ne chantais pas. J'avais la gorge nouée et l'esprit occupé à chercher une solution à cet effroyable dilemme.

Qu'adviendrait-il si je n'obéissais pas à Simon ?

Se détacherait-il de moi ? À peine avais-je envisagé cette éventualité qu'une douleur me broya le cœur. Imaginer une minute ne plus pouvoir rêver de son amour me parut intolérable. C'était avec lui que je voulais vivre, avoir des enfants et vieillir. S'il disparaissait de mon existence, la vie monacale même me serait insupportable et seule la mort comblerait le vide de son absence. Cette constatation me fut cruelle. Je ne m'appartenais plus et je ne pouvais plus être à Dieu. J'étais à Simon corps et âme. À lui seul. C'était à la fois abominable et terriblement excitant.

Quand nous nous levâmes pour quitter la chapelle, mon pas s'aligna sur celui de mes compagnes sans que je trébuche. Ma décision était prise.

J'allais commettre une folie mais je l'assumais.

Le plus dur restait à faire.

D'abord, je devais lui donner mon accord, et percer dans le papier les mots qui allaient faire de moi une renégate fut difficile. Il y avait seize ans que j'étais sage et pieuse et j'allais si brusquement changer de direction que ma main en tremblait.

Isabeau, qui s'était comme à l'accoutumée glissée dans mon lit, ne me rendit pas la tâche facile :

— Vous n'allez pas partir ? s'inquiéta-t-elle.

— Si.

— Alors vous aussi... vous allez trahir notre maison ?

Le mot « trahir » s'enfonça en moi tel un poignard. Oui, moi qui avais si fortement critiqué Charlotte, j'agissais comme elle.

Isabeau enchaîna :

— Vous n'aurez pas la dot du Roi et vous serez à jamais bannie de cette maison qui vous a tant apporté.

— La dot du Roi m'importe peu et l'idée saugrenue de vouloir revenir à Saint-Cyr ne m'effleure même pas.

— Oui, il paraît que lorsqu'on aime, tout ce qui n'est pas l'être aimé vous indiffère.

Je posai ma main sur la sienne et je la réconfortai :

— Vous aussi, un jour, vous quitterez cette maison au bras d'un mari.

— Non. Nous en avons déjà parlé et cela ne me convient pas. Ce que je veux, c'est que ma sœur Victoire me rejoigne et que toutes les deux nous devenions à notre tour maîtresses à Saint-Cyr.

— Vous réussirez. Vous avez toutes les qualités pour cela, moi pas.

— Et surtout vous êtes amoureuse, termina mon amie. Puisque c'est la voie que vous avez choisie, je vous souhaite d'être heureuse... Pourtant, il aurait été plus sage d'attendre vos vingt ans afin de quitter Saint-Cyr la tête haute.

— Je l'aurais préféré aussi... mais Simon est impatient et...

— Ignorez-vous qu'en vous enlevant sans l'accord de votre père ni celui de Mme de Maintenon Simon risque les galères ?

Je poussai un cri que j'étouffai de la main. Je l'avais entendu dire, mais mon esprit l'avait sciemment occulté, et je répétai comme pour m'en convaincre :

— Les galères, en êtes-vous certaine ?

— Cela se pourrait.

J'étais glacée.

Un furieux charivari se fit en moi.

Si j'acceptais de fuir avec Simon, c'était le condamner aux galères. Si je refusais, c'était lui montrer mon peu d'attachement et l'encourager à s'éloigner de moi. Des sanglots de désespoir me secouèrent.

Isabeau me consola.

— Voyez ce que vous risquez, voyez ce que vous perdez, alors qu'une attente de quelques années, tout en fortifiant vos sentiments, vous permettra d'avoir la dot et l'honneur sauf.

Lorsqu'elle quitta ma couche, je perçai le papier inondé de mes larmes de ces mots : *Je ne puis.*

Je glissai le message dans le livre de prières et je pleurai une partie de la nuit.

Le lendemain, à vêpres, le visage décomposé, je remis le livre entre les mains de Marguerite de Caylus, qui me murmura à l'oreille :

— À vous voir, je sens que je ne porterai pas une bonne nouvelle à M. de Lestrange.

Je me tus. J'avais peur en ouvrant la bouche de fondre en larmes. Mais Isabeau crut utile d'ajouter :

— Ni bonne ni mauvaise, mais fort sage en tout cas.

CHAPITRE

3

Les jours s'écoulèrent sans que Marguerite me prête son livre de prières.

Simon devait penser que je ne partageais pas son amour. Blessé dans son orgueil, il gardait le silence et ne cherchait même plus à conserver le contact avec moi.

J'étais anéantie.

Je ne dormais plus. Je ne mangeais plus. Je dépérissais à vue d'œil.

Mais à part Isabeau, personne ne s'en apercevait car j'essayais de faire bonne figure afin de ne pas dire de menteries pour expliquer ma triste situation.

Je regrettais d'avoir écouté la voix de la sagesse. Elle m'avait fait perdre Simon et ma raison de vivre.

Toutes les après-dînées[1], je guettais l'arrivée de Marguerite. Parfois, elle ne venait point et je me persuadais que, ce jour-là, elle avait un billet entre les pages du livre. Mais lorsqu'elle assistait aux vêpres et qu'elle ne me donnait rien, je me cramponnais au bras d'Isabeau pour ne pas défaillir. Au plus fort de mon désespoir, j'en arrivais à imaginer que Marguerite déchirait les lettres de Simon par jalousie ou pour me punir d'être trop prude, elle qui se vantait de s'amuser à être courtisée par les plus beaux gentilshommes de la Cour.

Le temps passait.

Je mourais d'envie d'écrire à Simon pour implorer son pardon et le supplier de m'aimer encore. Dix fois, vingt fois, je composais le texte dans ma tête pendant mes nuits d'insomnie ou, pire, pendant les leçons. Mais il m'était impossible de m'abaisser ainsi à faire le premier pas et je ne fis rien... sauf me morfondre. La prière même ne parvenait pas à ramener le calme dans mon esprit et je ne voyais pas comment continuer à vivre à Saint-Cyr alors que l'espoir m'avait abandonnée.

---

1. Après-dînée ou après-dîner : après-midi.

Isabeau essayait de me distraire de mes tristes pensées en m'obligeant à lui réciter, pendant les récréations, des passages d'*Esther*, ce qui m'évitait de ressasser mes tourments. Cependant, l'existence dans notre maison m'était devenue insipide.

Mme de Maintenon nous avait promis une nouvelle pièce de M. Racine pour le prochain carnaval. Mais jouer dans *Athalie* m'aurait été impossible, quand c'est en jouant dans *Esther* que ma vie avait basculé.

Une après-dînée de septembre particulièrement ensoleillée, nous étions en récréation lorsque le bruit d'une cavalcade nous intrigua. C'était le Roi qui revenait de courre le cerf[1] en forêt. Il était précédé par six mousquetaires et suivi par une cohorte de courtisans qui avaient eu l'honneur de partager ce royal passe-temps.

Un vent de panique dérangea le tran-tran[2] de notre maison. Ce n'était pourtant pas la première fois que le Roi nous rendait visite. Il avait assisté à toutes les représentations d'*Esther*, mais à chaque fois cela avait été pour nous toutes un événement capital.

Les maîtresses nous rassemblèrent, nous ordonnant de mettre un peu d'ordre dans notre tenue

1. Courre le cerf : chasser le cerf.
2. Le train-train.

tandis que notre supérieure se précipitait pour accueillir le souverain qui descendait de la calèche qu'il conduisait seul. À cause de son âge et de sa mauvaise santé, il ne chassait plus à cheval depuis quelques années.

Je ne sais si c'est la venue du Roi ou la fatigue occasionnée par plusieurs nuits blanches et le peu de nourriture que j'absorbais, mais j'étais encore dans une allée du jardin lorsqu'un vertige me saisit.

— Hortense ! cria Isabeau en me retenant par la taille.

Je m'assis dans l'herbe afin de reprendre mes esprits. Notre maîtresse, déjà angoissée par la visite royale, dit à mon amie :

— Isabeau, restez un instant avec Hortense, je guide vos compagnes afin de faire une haie d'honneur à Sa Majesté.

— Je vais vous quérir un verre d'eau et un morceau de pain, m'annonça mon amie. Je suis persuadée que si vous mangiez un peu plus, vous iriez mieux.

Je ne la détrompai pas. J'avais en effet la gorge sèche et l'estomac vide.

Elle partit en direction des cuisines.

Quelques secondes plus tard, une ombre me cacha les rayons du soleil couchant. Je levai les yeux, m'attendant à voir une de nos maîtresses venue me porter secours. Je poussai un cri : c'était Simon.

— Venez ! m'ordonna-t-il en me tendant la main pour m'aider à me redresser.

Mon cœur se mit à tambouriner dans ma poitrine et m'envoya une décharge sanguine au visage. Je retrouvai tous mes esprits. Il ne m'avait pas oubliée.

— Enveloppez-vous dans ma cape et suivez-moi.

Soudain, je compris. Il tenait un cheval par la bride. Il venait me chercher. Tout ce que m'avait dit Isabeau me revint en mémoire. Il ne pouvait pas risquer les galères pour moi. Je tentai de le dissuader :

— Je... ne puis...

— M'aimez-vous ?

— Oui.

— Alors fuyons.

Mille pensées m'assaillirent, mais je n'eus le temps d'en formuler aucune. Tout alla très vite.

Il s'accroupit, croisant les mains contre le flanc de son cheval. J'y posai le pied et m'assis en croupe. Il monta derrière moi, éperonna son cheval et, sous les regards médusés des gentilshommes, des mousquetaires et de quelques dames restées dans leur calèche, nous franchîmes le portail sans que personne n'esquissât le moindre geste pour nous retenir.

J'eus à cette seconde une impression de légèreté et de liberté incroyable tandis qu'une douleur me crispait le ventre.

CHAPITRE

4

Le cheval galopait. Je n'étais pas à l'aise. C'était la première fois que je montais.

Par moments, il me semblait que j'entendais les chevaux du Roi à notre poursuite, mais je ne pouvais tourner la tête pour m'en assurer. Simon tenait fermement les rênes et claquait la langue pour encourager l'animal à nous emporter le plus vite possible loin de Saint-Cyr.

Jamais, oh, non, jamais, moi qui suis d'un naturel si sage et si timide, je n'aurais pu imaginer vivre pareil événement : être enlevée sous les yeux du Roi !

C'était un acte répréhensible qui couvrait d'opprobre non seulement son auteur mais aussi nos deux familles. Mme de Caylus nous avait fait le récit de l'enlèvement d'une demoiselle par un gentilhomme de la Cour alors que celle-ci était promise à un vieux marquis. La cour s'en était amusée, mais le gentilhomme avait été condamné aux galères et la demoiselle avait fini sa vie derrière la clôture d'un couvent.

Pour l'instant, je sentais contre moi la chaleur et la force de Simon et je chassai de mon esprit tout ce qui n'était pas le bonheur d'être enfin avec lui. Je me disais que nous allions caracoler ainsi des heures pour arriver dans un pays où personne ne nous retrouverait et où nous pourrions vivre heureux.

Nous traversâmes une forêt puis nous franchîmes sans hésiter un portail de pierre. Simon contourna le château qui se dressait au bout d'une allée plantée de tilleuls et tira la bride de son cheval, qui s'arrêta, mouillé de sueur, devant la porte d'une tour. Il m'aida à descendre et, lorsque je me retournai, une jeune fille richement vêtue était sur le seuil.

— Simon ? interrogea-t-elle... mais que se passet-il ?

— Je vais vous expliquer. Consentez-vous à ce que nous entrions nous cacher des regards ?

Elle s'écarta et Simon me poussa à l'intérieur.

J'avoue que je m'attendais si peu à cette situation que je me raidis. Pas une seconde je n'avais imaginé une tierce personne, et qui plus est une demoiselle, dans notre équipée.

Nous pénétrâmes dans un petit salon au plafond bas. Des fauteuils et quelques tabourets étaient disposés devant une cheminée où un feu crépitait. Deux fenêtres étroites laissaient entrer un peu de lumière.

— Je... je viens d'enlever Mlle de Kermenet, souffla Simon avec de la fierté dans la voix.

— Simon ! gronda la demoiselle, c'est de la folie.

— Je le sais.

La conversation se déroulait comme si je n'existais pas et cela me déroutait. S'en rendant probablement compte, Simon me présenta enfin la demoiselle.

— Mon amie, Gabrielle de Barville. Vous pouvez lui accorder toute votre confiance.

Ladite Gabrielle me tendit la main en souriant. Je la pris, sans toutefois pouvoir lui rendre son sourire. Elle était jolie, vêtue et coiffée avec goût et légèrement plus âgée que moi, me sembla-t-il. Je me demandais bien quel rôle elle jouait dans la vie de Simon. Se pouvait-il qu'il soit resté insensible à son charme ? Lui avait-elle appartenu tandis qu'il me faisait sagement la cour ? Pourquoi acceptait-elle de nous aider ? N'y avait-il pas là-dessous une manœuvre pour me discréditer à ses yeux et mieux l'accaparer ?

Après le bonheur d'avoir eu Simon quelques heures contre moi, la jalousie me submergea. C'est un sentiment dont la douleur m'était inconnue et que je pensais ne jamais connaître. Pourtant, je l'identifiai immédiatement et j'en éprouvai une honte qui me fit rougir.

Ainsi donc, mon histoire d'amour allait s'achever à peine commencée...

Dans ce cas, pourquoi m'avoir enlevée de Saint-Cyr où je coulais des jours calmes, sinon heureux ? Par défi ? Pour un pari idiot comme certains jeunes hommes en font entre eux pour mesurer leur bravoure et gagner de l'argent ?

Se pouvait-il que Simon... Simon que j'aimais... soit de cette race de godelureaux ?

Soudain, la pièce vacilla, ma vue se troubla et je tombai en pâmoison.

Je me réveillai allongée dans un lit, le visage de Simon penché sur moi. Mon premier réflexe fut de lui sourire pour le rassurer. Puis, me souvenant brusquement de Gabrielle, je tournai mon visage vers le mur afin de lui montrer mon dédain et lui cacher les larmes qui montaient à mes yeux. Nous allions avoir une franche explication, lorsque la porte s'ouvrit sur Gabrielle portant un plateau. Le fumet d'un chocolat chaud m'écœura. S'imaginait-elle m'acheter avec du chocolat ?

— Il faudrait que vous mangiez un peu, ma chère, susurra-t-elle.

Elle me donnait du « ma chère », c'était insupportable. Je devais quitter cette pièce, fuir, me cacher, retourner à Saint-Cyr, mourir ! J'essayai de me soulever, mais un vertige me saisit.

— Vous êtes si pâle et si maigre que vos forces vous abandonnent et vous en aurez bien besoin pour ce qui vous attend, continua-t-elle.

Comment osait-elle ? De toute façon, pour accuser le coup que Simon allait me porter, je préférais appeler la mort et moins j'aurais de forces, plus douce elle serait.

Devant mon mutisme, elle posa le plateau sur une table et lança avant de sortir de la pièce :

— Je vous laisse, vous avez mille choses à vous dire.

Certes. Il était temps que Simon se dévoile.

Il s'agenouilla dans la ruelle[1] du lit, me prit les mains et s'inquiéta :

— Hortense... vous ne semblez pas heureuse d'être ici.

— Non. C'est le moins que l'on puisse dire, lui répliquai-je sèchement.

— Je comprends votre angoisse. Mais c'était la seule solution.

---

1. Espace entre le lit et le mur.

— Eh bien, vous auriez pu vous en dispenser.

Ses mains serrèrent les miennes si fort que j'en eus mal. Je ne cherchai cependant pas à les retirer. Cette souffrance me semblait douce par rapport à celle qui me rongeait le cœur.

— Rien n'a été prémédité. Écoutez plutôt. Hier, M. de Pontchartrain m'a annoncé qu'il était invité à chasser avec le Roi et qu'il souhaitait que je l'accompagne. Et de retour de la chasse, voilà le Roi qui s'arrête à Saint-Cyr pour se rafraîchir. Je me réjouissais simplement de vous apercevoir. Mais lorsque je vous vis, vous étiez seule, assise au milieu du jardin. Une occasion pareille, c'était tout bonnement un signe du destin, ne le croyez-vous pas ?

— Je ne sais...

La froideur de ma réponse le troubla.

— Vous... vous ne m'aimez donc pas ?

Cette question me sembla si incongrue que j'éclatai de colère et de désespoir :

— Moi ! Moi je ne vous aime pas ! Comment osez-vous douter de mes sentiments... alors que vous... vous... Vous êtes un ignoble personnage... que je...

Des sanglots m'empêchèrent de poursuivre.

Il semblait ne rien comprendre à mon discours car il s'exclama :

— Je ne pensais pas mériter ce qualificatif pour un acte qui n'était qu'une preuve d'amour !

La jalousie m'égarait et je repris entre deux hoquets nerveux :

— De l'amour ! Parlons-en de l'amour ! Quand vous avez le toupet de me conduire chez... chez... votre maîtresse !

Il lâcha mes mains, recula et, les yeux arrondis par l'incompréhension, il répéta :

— Ma maîtresse ?

— Oui. Cette Gabrielle... ne me dites pas qu'elle ne vous est rien, je ne vous croirai pas !

Soudain, il éclata de rire. Un rire qui le secoua de la tête aux pieds.

Je ne ris pas. Je me renfrognai et croisai les bras sur ma poitrine dans un geste qui, je l'espérais, lui montrerait que je n'étais pas de celles que l'on dupe facilement.

Enfin calmé, il me lança :

— Ma parole, vous êtes jalouse !

Piquée au vif, je pérorai :

— Non point, lucide.

— Mais si, vous êtes jalouse ! Et si vous êtes jalouse, c'est que vous m'aimez. Et si vous m'aimez, c'est que j'ai bien fait de vous enlever !

J'avais du mal à suivre son analyse. Il me prit dans ses bras, me serra contre lui. Je sentis son odeur et ses cheveux me caressèrent délicieusement la joue... Tout mon être s'affola. Son souffle chatouilla mon cou.

— Hortense, je vous aime comme un fou ! Plus que ma vie puisque je la risque sans hésiter pour être avec vous ! Je vous aime...

Cet aveu si doux se répandit en moi comme une eau de fleurs... et se heurta au feu de ma jalousie.

— Mais... cette Gabrielle...

— Une amie. Une véritable amie et seulement une amie. Elle est promise au comte de Tillet-Montrame. Cependant, nous devons agir en cachette de ses parents, qui n'apprécieraient pas d'héberger une demoiselle de Saint-Cyr enlevée par son amoureux.

Je n'en croyais pas mes oreilles et je me jugeai bien misérable d'avoir pu douter un instant de ses sentiments. Pour l'entendre encore une fois de sa bouche, j'insistai.

— Ainsi donc, vous ne l'aimez pas ?

— Mais non, sotte, puisque c'est vous que j'aime !

Curieusement, l'odeur du chocolat réveilla mon appétit. Simon le comprit au sourire qui me vint aux lèvres et il m'apporta le plateau d'argent sur lequel le chocolat refroidissait dans une tasse de porcelaine fine. Des confitures et du pain blanc accompagnaient le breuvage.

Je dévorai tout sous le regard tendre de Simon.

— Prenez des forces, ma mie, vous en aurez besoin.

CHAPITRE

5

Peu de temps après, Gabrielle se présenta sur le pas de la porte.

— Ah, je vois que vous appréciez ma petite collation.

— Oui et je vous prie d'excuser mon mouvement d'humeur qui...

Elle m'arrêta d'un geste gracieux de la main, puis se tourna vers Simon.

— Mon ami, vous ne pouvez demeurer ici, mais je vous offre une pièce dans l'aile nord du château. La tante de ma mère y a vécu jusqu'à sa mort voilà trois mois et depuis personne n'y est entré. Vous y serez en sécurité, le temps que cette affaire, qui,

hélas ! va faire grand bruit, sorte des mémoires, et le temps aussi que vous trouviez une solution, car vivre en reclus, même pour les beaux yeux d'une charmante demoiselle, n'est certes pas le sort que vous méritez.

Je fronçai les sourcils. Le début de son monologue était tout à fait à ma convenance. La fin beaucoup moins... et pourtant elle avait raison. Nous ne pourrions éternellement nous cacher.

— N'oubliez pas que votre geste inconsidéré vient de vous faire perdre votre place auprès de M. de Pontchartrain. Vous voilà donc sans revenus, et sans un sou, parce que je suppose que vous êtes parti à la chasse sans votre pécule, et juste avec les vêtements que vous portez sur vous. Il y a situation plus enviable !

Simon baissa la tête, chagriné qu'une demoiselle lui montrât la légèreté de sa conduite. Mais Gabrielle n'en resta pas là.

— Et j'ajoute qu'à l'heure présente, la police du Roi est à votre recherche. Je doute que Sa Majesté vous pardonne aisément d'avoir enlevé une de ses protégées sous son nez ! Si on vous attrape, ce sera les galères pour vous, la prison pour Hortense ou, pire, elle sera envoyée aux Amériques afin de peupler ces contrées sauvages.

Le tableau qu'elle nous peignait était catastrophique.

Simon restait muet comme s'il mesurait seulement maintenant la portée de son action.

Une chandelle à la main, Gabrielle nous conduisit à travers un corridor étroit. Puis nous empruntâmes un escalier à vis et, après avoir poussé une lourde porte ferrée, nous entrâmes dans une vaste pièce ronde. Aucune tapisserie n'en réchauffait les murs et aucun tapis n'agrémentait le sol. La cheminée était noire et froide. Un lit, un fauteuil et deux tabourets étaient les seuls meubles.

— Fernand vous portera de la vaisselle et des tentures pour rendre le tout plus agréable, nous annonça Gabrielle. Il vous montera du bois et des chandelles. C'est un serviteur dont je réponds comme de moi-même. Bientôt vous serez là aussi bien que coqs en pâte !

J'eus l'impression qu'elle nous installait chez elle pour longtemps et cela me déplut... comme si nous étions en quelque sorte ses prisonniers.

Je ne sais si Simon redoutait d'être ainsi enfermé avec moi ou si c'était d'avoir entendu clairement tout ce à quoi cet enlèvement l'exposait, mais il se laissa tomber sur un tabouret et murmura :

— Dieu, dans quelle terrible situation vous ai-je entraînée !

Le voir ainsi abattu me fouetta le sang. S'il m'aimait vraiment, il n'avait pas le droit ! Aussi, je le piquai :

— L'important c'est que nous soyons ensemble. Nous nous accommoderons du reste.

Il se redressa, honteux de sa faiblesse.

— Vous avez raison, ma mie.

Il se mit à faire les cent pas dans la pièce en réfléchissant à haute voix :

— De toute façon, il est hors de question que nous restions enfermés ici comme des rats !

— Hélas, vous savez ce que nous risquons si nous mettons le nez dehors !

— Il suffira de ruser... éviter Versailles et les alentours et, pour finir, obtenir votre main de la bouche de votre père !

Mes yeux s'agrandirent de stupéfaction. Voulait-il se rendre à Auray rencontrer mon père ? Il ne le connaissait pas ! Jamais le sieur Barthélemy Joseph Ignace de Kermenet, chevalier de Saint-Louis, mestre de camp de cavalerie, ne lui pardonnerait le déshonneur d'avoir enlevé la fille dont l'entrée dans la Maison Royale de Saint-Cyr l'avait empli de fierté.

— Je ne crois pas que ce soit une bonne idée. Mon père est un homme rude et fier. Il préférera vous tuer et moi avec plutôt que d'avoir à subir le déshonneur de notre action.

— Ah ? lâcha Simon d'une voix éteinte.

Il réagissait comme un enfant qui, croyant jouer seulement une farce, s'apercevait brutalement qu'il avait commis l'irréparable. Cela m'étonna quelque peu. Pour moi, l'homme était l'être fort, celui qui devait nous protéger, nous guider et rester maître de toutes les situations. Il me parut que l'amour avait anéanti ces qualités-là chez Simon, aussi me décidai-je à lui suggérer :

— Charlotte a fui Saint-Cyr avec l'aide de Mme de Caylus. Peut-être pourrait-elle intercéder en votre faveur auprès du Roi ?

— Charlotte ? Je ne l'ai pas revue depuis plusieurs mois.

— Oh, Seigneur, pourvu qu'il ne lui soit rien arrivé de fâcheux[1] !

— Que voulez-vous qu'il lui soit arrivé à Versailles ? Non, non, mais Charlotte n'aime que l'imprévu et l'aventure, alors d'ici qu'elle se soit embarquée sur un navire pour aller chercher l'or aux Amériques, il n'y a pas loin.

— Il est vrai qu'elle a un tempérament de feu !

— Sans doute, mais ses frasques n'ont pas été appréciées par Mme de Caylus et, pour l'heure, il est hors de question que j'aille demander un

1. Voir *Charlotte, la rebelle*.

quelconque service à la comtesse ! Le nom de Lestrange n'est plus en odeur de sainteté.

Une autre idée me vint et je la lui soumis :

— Peut-être votre père voudra-t-il bien nous accueillir ?

Son visage s'éclaira enfin d'un sourire :

— Mais oui, vous avez raison. C'est là qu'il nous faut aller ! En Vivarais. Je serai heureux de vous présenter mon père, qui, j'en suis certain, nous donnera sa bénédiction. Et puis peut-être aura-t-il enfin des nouvelles de ma mère et de ma sœur.

— Vous n'en avez point depuis longtemps ? m'étonnai-je.

— Hélas ! Si Charlotte, notre père et moi avons accepté de signer notre renonciation à la religion huguenote, notre mère et Héloïse ont refusé. Toutes deux sont parties en secret se réfugier en Suisse, mais nous ne savons pas ce qu'il est advenu d'elles[1].

La stupeur me laissa un instant sans voix.

J'avais oublié que Simon était un ancien huguenot converti. Et si cela m'avait paru quelques mois auparavant un obstacle, l'amour grandissant que j'éprouvais pour lui me l'avait fait franchir les yeux fermés.

1. Voir *Charlotte, la rebelle*.

Brusquement, l'obstacle se dressait à nouveau devant moi : mur infranchissable. Une partie de la famille de l'homme que j'aimais était renégate. Sa mère et sa sœur avaient fui le sol de France pour pratiquer une religion que je réprouvais. Comment pouvait-on choisir une autre religion que celle du Roi, celle du peuple de France, depuis des siècles et des siècles ? J'avais du mal à le comprendre. Il est vrai que jusqu'à ce jour, j'avais mené une vie calme et respectueuse des préceptes de la morale et de la religion catholique. Le premier accroc était cet enlèvement pour lequel je n'étais pas même consentante.

J'espérais que mon indiscipline s'arrêterait là. Je n'étais pas née pour la révolte et l'aventure.

Du moins, c'est ce que je croyais.

CHAPITRE

6

Simon m'avait laissé le lit et s'était installé dans le fauteuil devant la cheminée que Fernand était venu allumer non sans maugréer des paroles inintelligibles, mais qui, à mon avis, n'étaient pas en notre faveur. Il devait juger scandaleux qu'une jeune fille dormît dans le même lit qu'un damoiseau sans avoir été unie à lui devant Dieu. J'avoue que je le pensais aussi et lorsque Simon eut la délicatesse de me proposer le lit, se contentant du fauteuil, je soupirai de soulagement. Je refusai de passer la chemise de nuit prêtée par Gabrielle et je m'allongeai sans même délacer mon corset dans le costume d'étamine brune que je portais à Saint-Cyr.

Je ne dormis point.

Trop d'idées tournoyaient dans ma tête. Trop de craintes, trop de doutes. Et puis la respiration de Simon si proche. Un instant, je me redressai sur mes avant-bras pour le regarder. Il était beau et je pris grand plaisir à cette contemplation, puis, consciente de mon impudeur, j'enfouis mon visage sous le drap le reste de la nuit.

Au premier rayon de lumière, je me levai. Simon dormait toujours. Je lissai ma jupe pour en ôter les plis, tirai sur mes bas et essayai de remettre en bonne place les mèches de ma chevelure, puis je m'approchai de la fenêtre. Elle donnait sur l'arrière du bâtiment et je ne voyais que des champs labourés arrêtés par une forêt dense. Pas âme qui vive. Je demeurai de longues minutes à admirer la campagne, et cela m'apaisa.

Le craquement du fauteuil me ramena à la réalité. Simon bâillait, s'étirait, puis, m'apercevant, il s'étonna :

— Déjà réveillée ?

Il marcha vers moi, prit mes mains entre les siennes et plongea son regard dans le mien. Mon cœur chavira, je fus obligée de détourner les yeux pour ne pas me jeter dans ses bras. Ce qui aurait été tout à fait inconvenant. Fort délicatement, il me baisa le bout des doigts, puis, emporté par son amour, il m'attira à lui et me vola un baiser.

C'était le premier que je recevais et il me laissa chancelante et rougissante. Le souffle court, je me dégageai de cette douce étreinte. Afin que nous pussions tous deux reprendre nos esprits, il me dit :

— Je crois bien avoir dormi comme un loir... toutes ces émotions m'avaient épuisé, mais les forces me sont revenues.

Quelle chance il avait d'avoir pu oublier nos ennuis la nuit durant, moi je n'avais cessé de les ressasser !

— Tant mieux. Avez-vous une idée de la façon dont nous allons quitter la région ?

— Non point, mais ici, nous sommes à l'abri et nous avons le temps d'y réfléchir. Rien ne sert de nous précipiter sur les routes.

Le contrecoup de mon enlèvement, la fatigue d'une nuit blanche, la peur du lendemain et la douceur de notre brève étreinte firent que je réagis fort brutalement à sa proposition.

— Attendre ? Vous me surprenez. Hier vous prétendiez ne point vouloir vivre caché et aujourd'hui vous m'assurez du contraire ! Je veux, moi, rejoindre le Vivarais le plus vite possible comme nous en avions convenu.

— Holà, ma mie, vous êtes bien impétueuse ! Je le veux tout comme vous, mais un tel voyage se prépare. Nous n'avons ni argent ni vêtements, seul un cheval, et traverser le pays sera long et périlleux.

Je me rembrunis. Cette clandestinité ne me satisfaisait pas. Je voulais l'aimer au grand jour.

Tout à coup, la porte s'ouvrit violemment. Gabrielle parut, affolée, sur le seuil.

— Vite, partez ! les mousquetaires du Roi sont dans la cour. Ils viennent fouiller le château.

— Qui nous a trahis ?

— Notre amitié n'était pas secrète... et ils pensent à juste raison que je vous ai aidés.

— Seigneur ! Il ne manquerait plus qu'on vous accuse de complicité !

— C'est ce qui arrivera si l'on vous trouve ici ! Votre cheval vous attend au pied de la tour. Vous avez cinq cents mètres à parcourir avant d'atteindre la forêt. Je vais retenir ces messieurs le plus longtemps possible dans les pièces du sud.

— Merci, Gabrielle, je...

— Prenez ceci, lui dit-elle en lui tendant une bourse de cuir, mon père me l'a donnée voilà deux jours pour acquérir un bijou que je convoitais. Je prétendrai que j'ai égaré l'argent.

— Non, je ne puis, se défendit Simon.

— C'est de grand cœur, Simon, en signe de notre amitié.

À présent, je la regardais différemment et, à mon tour, je lui murmurai, éperdue de reconnaissance :

— Merci... sans vous... nous...

Elle secoua la tête pour couper court à ces adieux et nous poussa vers l'escalier :

— Ne perdez pas de temps. De mon côté, je dois faire disparaître toute trace de votre séjour.

Simon me prit la main et nous dévalâmes l'escalier. Au pied de la tour, Fernand tenait la bride du cheval. Il m'aida à m'installer sur la selle, puis Simon monta à son tour et, piquant des deux[1], nous caracolâmes droit en direction de la forêt. Mon cœur battait à tout rompre et j'entendais déjà le cri des mousquetaires nous arrêtant dans notre course : « Halte-là, ou je tire ! » Finalement, il n'en fut rien et nous atteignîmes sans encombre la protection des arbres. Nous poursuivîmes notre route, ralentissant toutefois l'allure, car galoper à deux sur le dos d'un cheval est une position tout à fait inconfortable pour les cavaliers et par trop fatigante pour l'animal.

La première journée fut harassante.

Je n'étais pas dans mon élément sur un cheval. Le frottement de la selle sur mon fondement me

---

1. Piquer des deux : appuyer des deux éperons pour forcer l'allure d'un cheval.

meurtrissait et je ne tardai pas à avoir mal au dos, aux jambes et jusque dans les mains à force de m'agripper au pommeau de cuir par crainte de tomber. Et je ne parle même pas du froid et du vent qui me glaçaient, me décoiffaient et me gâtaient le teint, ni des branches qui par moments me cinglaient le visage. Heureusement Simon était là. Je sentais son haleine dans mon cou et de temps en temps, lorsque nous ralentissions l'allure, son bras autour de ma taille.

N'étant pas assez loin de Versailles lorsque la nuit tomba, nous n'osâmes pas faire halte dans une auberge. Par chance, nous découvrîmes dans la forêt une hutte de branchages, de celles que confectionnent les bûcherons pour se préserver de la pluie. Simon y entassa des feuilles mortes. Un peu avant dans la journée, il avait acheté un pain dans un village. Je m'étais cachée sous un petit pont car il avait jugé plus prudent que nous ne nous montrions pas ensemble.

Il m'avait d'ailleurs demandé d'arracher tous les rubans jaunes ornant ma robe. Ces rubans, que nos maîtresses nous distribuaient en fonction de nos bons résultats et que nous avions tant de plaisir à coudre sur notre costume, nous désignaient aux yeux de tous comme les « demoiselles de la Maison Royale d'Éducation ». Cela me coûta. J'avais l'impression de détruire mes neuf années passées à Saint-Cyr, années heureuses où l'instruction, la prière et l'amitié avaient comblé ma vie. Je refoulai mes larmes et me grondai intérieurement pour ma sensiblerie. L'homme que j'aimais était avec moi et le bonheur m'attendait... même s'il y avait des épreuves à surmonter avant d'en goûter la douceur.

Ce soir-là, nous nous contentâmes de pain et d'eau. Nous ne fîmes pas de feu, nous n'avions rien pour l'allumer. Assis à même le sol, sur le tapis de feuilles mortes, Simon m'attira contre lui. Je ne résistai pas. Il nous enveloppa tous les deux dans sa cape pour nous protéger de la froideur du soir. Il me parla de sa famille et surtout de la conduite abominable des dragons logés chez les huguenots[1]. Je fus horrifiée. Si ce n'avait été lui qui m'avait fait ce récit, je ne l'aurais pas cru. Je connaissais l'existence de ces soldats chargés de ramener ceux de la religion prétendue réformée dans le giron de l'Église catholique, mais, évidemment, la rumeur de leurs exactions n'avait jamais franchi les murs de Saint-Cyr.

Lorsque, épuisée, je posai ma tête au creux de son épaule, il n'eut aucun geste déplacé, se contentant de m'embrasser tendrement sur le front. Bien que je luttasse pour ne pas dormir, le sommeil

1. Voir *Charlotte, la rebelle*.

me gagna. Au matin, lorsque j'ouvris les yeux, il me regardait. Cela me troubla (j'avais pourtant fait de même, la nuit précédente).

— Que vous êtes belle ! murmura-t-il.

(C'était aussi ce que j'avais pensé en le voyant dormir.)

Depuis deux jours, je n'avais pu ni me rafraîchir le visage ni me coiffer et je devais être affreuse.

— Ne vous moquez pas, lui répondis-je.

— Loin de moi cette idée... J'ai si souvent rêvé de vous voir à mon réveil que je ne me lasse pas de cette vision, et ce n'est pas quelques cheveux en bataille et vos joues rosies par le froid qui me feront changer d'avis. Mon cœur vous aime et il vous trouve belle.

Cette phrase me paya au centuple de toutes mes peines et effaça mes angoisses. Pour le remercier, j'eus l'impudeur de lui offrir mes lèvres.

Me lever fut un calvaire tant mon corps était douloureux ! J'aurais voulu rester allongée sur la couche de feuillage, mais nous attarder dans cet abri était un risque inutile et le chemin était encore long ! Nous mangeâmes un morceau de notre pain, les yeux dans les yeux. Puis Simon sella Sultan, m'aida à monter en croupe et plaisanta sur les cris que je poussai lorsque mon fondement rencontra le cuir.

— Je regrette, ma mie, d'avoir à vous imposer une si rude assise, mais je vous promets de moelleux carreaux[1] dès que nous serons arrivés.

J'en rêvais aussi.

---

1. Carreaux : coussins carrés.

CHAPITRE

7

Nous avançâmes en direction du sud, tantôt au galop, tantôt marchant au côté de Sultan afin de l'alléger de sa charge. Pour que la bête et nous pussions nous abreuver, manger et nous reposer, nous nous arrêtions loin des villages. Car, nul doute qu'un jeune couple perché sur un seul cheval et venant d'une autre contrée aurait fait naître des rumeurs et peut-être attiré les gens en armes.

Une miche de pain était notre ordinaire et nous buvions l'eau des rivières.

Les jours se succédaient. Lorsque nous fûmes à plus de quarante lieues de Versailles, Simon estima que nous pouvions faire halte dans une auberge sans risque. Enfin dormir dans un lit et manger chaud assise devant une table ! Je regrettai seulement de ne pas avoir un peigne pour me coiffer, ni aucun onguent pour m'adoucir la peau.

Nous délaissâmes plusieurs importantes hostelleries situées au cœur d'un bourg nommé Joigny, préférant entrer dans une auberge plus modeste située sur les bords de l'Yonne.

— Nous prétendrons que nous sommes frère et sœur, me conseilla Simon, cela pourra nous éviter de fâcheuses situations.

C'était effectivement une bonne solution.

Simon conduisit Sultan à l'écurie. Lui aussi dut être heureux d'être bouchonné et de bénéficier de la chaleur d'un toit.

Lorsque Simon poussa la porte de la salle commune, les relents d'alcool, de graillon, la fumée, le brouhaha des conversations et tous les gens que j'aperçus attablés dans la lumière vacillante des rares chandelles me paralysèrent une seconde sur le seuil. Simon me prit le bras pour m'encourager. Mais comment aurait-il pu comprendre ce que je ressentais ? C'était la première fois que je pénétrais dans un tel lieu et, après toutes ces années baignées dans le calme et la propreté de Saint-Cyr, ce bruit, cette promiscuité et ces odeurs m'agressaient. Il me semblait que tous les regards étaient tournés vers moi et comme la majorité de la salle était peuplée d'hommes, j'étais fort mal à l'aise. Nous nous glissâmes à l'extrémité d'une longue table. Je m'assis à côté de deux dames fort bien mises. Je leur souris, soulagée de ne pas être la seule femme au milieu de cet univers masculin.

Tandis que Simon parlementait avec l'aubergiste, je me recroquevillai sur le banc comme pour me protéger de cet environnement hostile. Il revint quelques instants plus tard et m'annonça :

— Pour le dîner, pas de problème, mais il n'y a plus de chambre. On nous propose la paille de la grange. Pour moi cela me suffira, mais pour vous...

Je fus déçue. J'avais tant espéré dormir enfin dans un lit !

La jeune fille assise à mon côté se pencha vers moi.

— Veuillez m'excuser, je viens de surprendre votre conversation et je sais combien il est inconfortable de dormir dans la paille. Par chance, mes parents et mon frère ont une chambre et j'en ai une pour moi toute seule. Je vous propose de la partager.

Ne sachant s'il était correct d'accepter cette proposition, je me tournai vers Simon.

— Je vous remercie, mademoiselle, pour votre obligeance, répondit-il.

— J'ai vu, à votre mise, que vous aviez déjà longuement voyagé et j'ai reconnu en vous des pèlerins de Saint-Jacques.

Simon ne démentit pas. Au contraire. Cette jeune femme venait de nous inventer un statut expliquant la pauvreté et la saleté de notre tenue. Il enchaîna :

— Nous sommes partis depuis une semaine et c'est notre première halte dans une auberge, mais Compostelle se mérite. Il faut demeurer humble et se contenter de peu. Vous aussi, sans doute, êtes-vous en route pour Saint-Jacques ?

— Mon père et mon frère s'y rendent sur les conseils de notre évêque. Ma mère et moi nous nous arrêterons au Puy pour vénérer la Vierge noire.

— Et n'est-ce pas au Puy que les groupes se forment afin de faire le trajet avec plus de sûreté ? interrogea Simon.

— Si. Les brigands profitent souvent de la solitude de certains pèlerins pour les détrousser.

— Ma sœur et moi comptons nous joindre, nous aussi, à un groupe.

— Alors, allons ensemble jusqu'au Puy, je m'appelle Claude-Marie de Boisjourdan et avoir des compagnons de mon âge n'est pas pour me déplaire.

— Je suis Simon de Lestrange et voici Hortense... ma sœur.

La jeune fille toucha l'épaule de la dame assise à côté d'elle – qui ne s'était pas intéressée à notre conversation – et lui demanda :

— Mère, verriez-vous un inconvénient à ce que ces jeunes gens se joignent à nous ?

Mme de Boisjourdan nous dévisagea et fronça le nez. Il est vrai que notre mine n'était pas vraiment engageante. Puis se souvenant, sans doute, des préceptes de charité prônés par la religion catholique, elle lâcha :

— Il faut bien s'entraider. Le chemin est si long...

L'aubergiste nous apporta bientôt une soupe épaisse, fumante et parfumée. J'eus toutes les peines du monde à ne pas me jeter dessus et à l'avaler en trois coups de cuillère, tant j'avais faim. Il me parut étrange de retrouver, blotti au fond de moi, cet appétit presque bestial que j'avais connu dans mon enfance en Bretagne et qui ressurgissait malgré l'éducation reçue à Saint-Cyr. Je me contins cependant et réussis à manger lentement. La mère de Claude-Marie repoussa son assiette à moitié pleine et bougonna :

— Cette nourriture n'est même pas celle que nos fermiers donnent à leurs cochons.

Quel était donc le degré de richesse de ces gens pour oser une pareille critique et, s'ils étaient si riches, pourquoi s'arrêter dans cette modeste auberge ? Pour ma part, bien qu'à Saint-Cyr on nous ait habituées à une nourriture de choix, la faim me faisait fort apprécier ce potage et je lorgnais même avec envie sur l'assiette de Mme de Boisjourdan.

Fort heureusement, le brouhaha et les rires des autres convives ne permettaient pas une conversation suivie, ce qui était préférable. Claude-Marie se plaignit tout à coup de maux de tête et demanda l'autorisation à sa mère de monter dans sa chambre. Mme de Boisjourdan la lui accorda sans difficulté.

La jeune fille me prit sans façon la main et, avant de m'entraîner vers l'escalier de bois conduisant à l'étage, elle fit une curieuse révérence à Simon et aux personnes assises à la table en claironnant :

— Bien le bonsoir, messieurs.

Dès que nous fûmes dans le petit cagibi pourvu d'une étroite fenêtre que l'aubergiste appelait « chambre », Claude-Marie éclata de rire.

— Je n'ai pas le moindre mal de tête, mais je ne supporte pas cette ambiance de cabaret où les hommes boivent et rient plus que de raison, et surtout j'avais envie de bavarder avec vous.

Sur mes gardes, je lâchai :

— Ah ?

— Oui. Je m'ennuie à mourir depuis que nous avons quitté Chantilly où j'ai laissé une mienne cousine avec qui j'avais beaucoup de plaisir à converser.

— Oh, il n'y a vraiment rien à dire d'intéressant sur moi...

Et, cherchant à détourner la conversation, j'enchaînai :

— Parlez-moi plutôt de vous.

— J'ai seize ans... et je vais me marier avec un ami de mon père... mais cet ami est... Non, excusez-moi, je ne peux vous en dire plus. Sauf que c'est pour cette raison que nous nous rendons au Puy. C'est là que sa famille réside.

— Mais... la Vierge noire et le pèlerinage à Compostelle ?

— C'est une couverture... pour... enfin pour ne pas donner le véritable motif de notre déplacement. La... la police du Roi est tellement suspicieuse.

Je n'en croyais pas mes oreilles ! Cette fille avait donc, elle aussi, maille à partir avec la police ! Et pourquoi donc ? Je mourais d'envie de la questionner. Je ne le fis pas, craignant que cela l'encourage à son tour à m'interroger. Aussi répondis-je sobrement :

— Je respecte votre secret.

— Je vous en remercie. Et vous, qu'est-ce qui vous conduit sur les routes ?

— Le pèlerinage... pour sûr. Notre mère est gravement malade et nous allons à Compostelle afin d'obtenir sa guérison.

Claude-Marie me regarda bizarrement, comme si elle ne croyait pas un mot de mon explication.

— Vous aussi, vous avez un secret ? me demanda-t-elle.

— Oui. En quelque sorte.

Elle serra fort ma main et, les yeux dans mes yeux, elle prononça d'une voix émue :

— Eh bien, que notre amitié soit à jamais scellée par nos secrets.

Tout à coup, Claude-Marie se dirigea vers une malle posée sur le sol, l'ouvrit, en sortit jupons de fine batiste, jupes de taffetas colorés, plastrons d'estomac brodés, cols de dentelle, bas de soie, rubans, et prit un air à mon avis faussement outré.

— Mère a voulu que j'emporte beaucoup trop de vêtements ! Et tout cela pour charmer le sieur de Rochecolombe, mon prétendant !

Je lorgnai sur tout ce beau linge aux couleurs si chatoyantes. Ma tenue sombre de demoiselle de Saint-Cyr me parut bien terne.

— Que pensez-vous de cette jupe verte et de ce plastron argenté ?

— Des merveilles !

— Ils sont à vous !

Je restai un instant sans voix, puis, l'orgueil reprenant le dessus, je m'indignai :

— Ai-je donc l'air si misérable ?

— Non point. Mais crottée, ça oui.

Je ne pouvais prétendre le contraire. Une semaine à caracoler sur le dos d'un cheval ou à marcher sur des chemins boueux, à dormir dans une hutte, sur la paille ou à même le sol n'arrange pas votre tenue.

J'ébauchai un timide sourire. Elle éclata d'un rire franc.

— Et puis vous voyagez sans bagages et donc sans possibilité de vous changer et, sans être un grand inquisiteur, cela signifie que vous êtes partie fort précipitamment.

J'acquiesçai d'un hochement de tête.

— La meilleure façon de ne point vous faire remarquer, c'est de changer de tenue... de vous déguiser en jeune fille de bonne famille. Il y a tout ce qu'il faut dans cette malle et l'alléger un peu n'est point pour me déplaire.

J'hésitais.

— Allez, m'encouragea-t-elle, essayez ce plastron et cette jupe. Nous avons à peu près la même taille et la couleur vous siéra à ravir.

J'essayai.

Enfiler une jupe de taffetas émeraude sur un jupon de batiste puis fixer sur ma poitrine un plastron brodé de fleurs m'enchanta.

— Tout cela est maintenant à vous !

Je la remerciai chaleureusement.

Elle m'invita bientôt à me déshabiller à nouveau et nous nous allongeâmes dans le lit où la conversation se poursuivit. Claude-Marie était sans manières, drôle, et je sentis que je pourrais m'en faire une amie.

— Votre frère est charmant, me glissa-t-elle après avoir mouché la chandelle.

Aussitôt sur le qui-vive, je lâchai :

— Ah, oui ?

— Il a l'air d'un parfait gentilhomme.

— Il l'est.

— J'ai un jugement sûr en ce qui concerne les hommes, assura-t-elle avec un petit rire de gorge.

La jalousie me pinça le cœur et, chagrinée d'éprouver un tel sentiment envers cette demoiselle qui venait si gentiment de m'offrir des vêtements, je décidai de l'éloigner d'un sujet si ennuyeux pour moi et j'enchaînai avec adresse :

— M. de Rochecolombe est certainement un gentilhomme lui aussi.

Elle soupira :

— Je l'ignore. Je ne l'ai pas encore vu.

Je lui portai alors le coup de grâce et j'annonçai :

— De toute façon, mon frère est fiancé...

— Dommage !

Claude-Marie bâilla.

— Assez bavardé. Nous devons dormir pour supporter le voyage de demain.

Je ne me fis pas prier et j'étais si épuisée que je crois bien m'être endormie en quelques secondes.

8

Ce fut le martèlement des sabots des chevaux sur les pavés et les cris des valets qui me réveillèrent. Le jour entrait par la petite fenêtre où la silhouette de Claude-Marie, déjà habillée, se détachait.

— Eh bien, me lança-t-elle, j'ai cru que rien ne vous tirerait du sommeil !

Confuse d'avoir ainsi paressé au lit, je me levai d'un bond et m'excusai :

— C'est que j'avais du sommeil à rattraper. Vous auriez dû me secouer ! J'espère ne pas vous avoir retardée.

— Non point, la voiture vient juste d'être attelée et votre frère n'a pas encore sellé le cheval.

— Il ne faut pas que je le fasse attendre, lui dis-je en attrapant mon corset et mon jupon plié sur un tabouret.

— Il ne vous attendra pas. Il part sans vous.

Arrêtée dans mon geste, je levai vers elle un regard lourd d'incompréhension en même temps qu'une sourde angoisse me crispait l'estomac. Pourquoi Simon partirait-il sans moi ? Avait-il été repéré par les gens en armes ? Son amour pour moi s'était-il éteint brusquement en une nuit ?

— Je viens d'aller discuter avec lui et...

Ainsi donc, pendant que je dormais, cette fille qui se prétendait mon amie avait rejoint Simon... et elle l'avait si bien séduit qu'il ne voulait plus de moi ! La colère monta en moi et je criai :

— ... et c'est vous qui partez avec lui !

— Aucunement. Voyager à deux sur un cheval est par trop éreintant. Il en est d'ailleurs convaincu. Aussi vous autorise-t-il à monter dans notre voiture où vous serez confortablement assise.

Je bégayai :

— Co... comment ?

— Ma pauvre Hortense, vous avez encore le cerveau assoupi ! Je vous explique que votre frère consent à ce que vous voyagiez avec nous pour vous éviter de la fatigue. Il vous rejoindra au Puy.

— Mais... je ne veux pas ! Je veux être avec lui !

— Voyons, vous réagissez comme s'il était votre amant ! Vous ne vous séparez pas pour la vie, seulement pour une semaine.

— Et pourquoi donc ne pas m'en avoir parlé avant ?

— Tout simplement parce que vous dormiez ! J'étais réveillée tôt. J'ai pensé qu'il serait plus agréable pour vous de faire la route au chaud et au sec dans notre voiture puisque nous allons au même endroit. J'ai quitté sans bruit notre chambre pour soumettre mon projet à ma mère. Elle l'a approuvé, jugeant que votre compagnie me distrairait. Ensuite, j'en ai parlé à votre frère qui sortait de l'écurie. Il a également approuvé.

— Puisque tout le monde est d'accord, dis-je d'un ton sec.

Furieuse que cette décision eût été prise sans mon accord, je m'habillais rapidement de mes anciens vêtements lorsque Claude-Marie s'étonna :

— Quoi ? Vous refusez la tenue que je vous ai offerte ?

Je ne lui répondis pas et dévalai l'escalier pour rejoindre Simon. Sans souci du qu'en-dira-t-on, je me jetai dans ses bras en pleurant :

— Simon ! Je... je pars avec vous !

Il m'éloigna un peu de lui, sécha mes larmes de son doigt et m'expliqua :

— Non ma mie, Mlle de Boisjourdan a la bonté de vous offrir une place dans sa voiture et il faut l'accepter. La place de la femme que j'aime n'est pas sur un cheval. Vous risquez d'y user votre santé sans compter que les chemins ne sont pas sûrs et que je n'ai même pas une arme pour vous défendre.

— Je me moque de tout cela. Je veux être avec vous.

— C'est ce que je souhaite le plus au monde moi aussi. Mais Sultan ne tiendra pas longtemps avec deux charges sur le dos et le Vivarais est encore loin... L'argent remis par Gabrielle s'épuisera vite dans les auberges et l'idée de vous offrir une miche de pain pour tout repas et de vous obliger à dormir à la belle étoile m'est insupportable.

Je haussai les épaules. Il acheva de me convaincre en ajoutant :

— De plus, les gens en armes recherchent un jeune couple. Si nous nous séparons, nous avons plus de chances de ne pas être inquiétés.

Ainsi, nous allions nous séparer. Mes larmes reprirent de plus belle. Il me serra contre lui.

— N'oubliez jamais que je vous aime.

— Je vous aime aussi.

Un valet s'approcha de nous, tenant Sultan à la longe. Je caressai les naseaux tièdes de l'animal pour lui dire au revoir. Simon monta en selle, puis il se pencha vers moi.

— Dans une semaine, au Puy. Et portez-vous bien, ma mie !

Et, sans doute pour éviter que mes sanglots ne le retiennent, il piqua des deux, traversa la cour et disparut sur le chemin. Le visage baigné de larmes, je levai les yeux vers le premier étage de l'auberge. Claude-Marie était derrière la fenêtre, d'où elle avait suivi toute la scène.

Lorsque je regagnai la chambre, les joues portant les traces de mes larmes, Claude-Marie ironisa :

— Je ne pensais pas provoquer un si grand cha-grin en vous éloignant de votre frère pour quelques jours.

Le ton de sa voix me laissa à penser qu'elle avait découvert notre secret, mais je choisis de respec-ter le stratagème de Simon et ajoutai simplement :

— Nous nous aimons beaucoup.

— Cela crève les yeux en effet.

Je lui sus gré de ne pas profiter de mon état de faiblesse pour m'extorquer la vérité.

Tout à coup, Mme de Boisjourdan entrebâilla la porte.

— Êtes-vous prêtes ? Nous partons.

— Nous vous rejoignons dans cinq minutes, pro-mit sa fille.

Dès que sa mère eut disparu, elle m'ordonna :

— Changez de tenue et poudrez-vous le visage puis je vous coifferai et retiendrai votre magnifique chevelure rousse par quelques rubans.

Je n'eus pas la force de protester et je me laissai faire. Ma transformation effectuée, nous descendîmes dans la cour et montâmes dans la voiture où sa mère et son père étaient déjà installés côte à côte. Son père me salua sèchement, sa mère marmonna qu'on était en retard. Son frère retenait son cheval, qui piaffait d'impatience à côté de la portière et ôta fort courtoisement son chapeau à ma vue.

À peine étions-nous assises que le cocher fouetta les chevaux.

9

Dans la voiture, l'ambiance se révéla morose et la conversation languissante. Il y avait trop de choses que je ne pouvais dire et c'était sans doute pareil pour la famille de Boisjourdan.

Lorsque Mme de Boisjourdan me demanda d'où je venais, la panique me saisit. Je n'ai aucun goût pour le mensonge et aucun don, je le crains. Je ne pouvais lui avouer que j'avais fui la Maison Royale d'Éducation parce que l'homme que j'aimais m'avait enlevée... Je demeurai coite quelques effroyables secondes. Claude-Marie vint à mon secours :

— Mlle de Lestrange est timide. Elle m'a confié qu'elle venait de Bretagne et allait au Puy prier la Vierge de guérir sa mère malade.

C'était en effet le conte que je lui avais fait la veille.

Afin de ne pas avoir à parler, je gardai le visage tourné vers la portière pour admirer le paysage ou je fis semblant de somnoler. Mais c'était proprement intolérable et les heures s'écoulèrent fort lentement. Je regrettais d'avoir cédé aux instances de Claude-Marie, car si effectivement le voyage était moins fatigant, la tension nerveuse et l'ennui me le rendaient très désagréable. Je préférais de loin chevaucher dans le vent, dormir sur la paille et manger du pain sec avec Simon.

Henri, le frère de Claude-Marie, qui suivait la voiture à cheval, venait nous parler chaque fois que nous nous arrêtions dans un relais. Il n'était point beau : trop grand, trop maigre, et son visage était déformé par la petite vérole, mais il était gentil, s'inquiétant de savoir si nous avions froid, faim, soif, chaud. Son attention m'était douce. Je l'acceptai sans arrière-pensée, ne sachant rien des codes de l'amour.

Claude-Marie me mit les points sur les i :

— Je crois bien que mon frère est en train de tomber amoureux de vous ! Je ne l'ai jamais connu aussi prévenant.

Je rougis. Dans l'inextricable situation où j'étais, je n'avais vraiment pas besoin de ce tracas supplémentaire ! Je cherchai une issue :

— Je... je ne vous l'ai pas encore dit, mais... je ne suis pas libre. Comme vous, j'ai un fiancé qui... qui m'attend en Bretagne...

— En Bretagne ? Êtes-vous sûre, ma chère ?

J'en avais assez de tous ces mensonges dans lesquels je m'enfonçais et qui, un jour ou l'autre, se retourneraient contre moi. Je profitai d'un moment où nous nous étions éloignées ensemble pour lui avouer :

— Simon n'est pas mon frère. Nous sommes fiancés.

— Je m'en doutais. Mais j'attendais que vous m'en fassiez l'aveu.

Et parce que mon cœur était lourd de tous ces secrets contenus, et qu'il me parut que je pouvais lui accorder ma confiance, je lui livrai la vérité aussi brièvement que je pus.

Elle m'embrassa et m'assura :

— Vous pouvez compter sur ma discrétion.

Nous arrivâmes à l'étape suivante assez satisfaits car une allure soutenue et l'absence d'incident nous avaient fait parcourir un nombre de lieues appréciable. Dès que nous descendîmes de voiture, je promenai mon regard des écuries à la porte de la salle commune, m'attendant à voir surgir Simon. Je pensais en effet que puisque nous nous rendions au même endroit, il ferait halte dans les mêmes lieux afin d'avoir le plaisir de passer ensemble quelques heures. Il n'était point dans cette auberge, sans doute pour ménager son petit pécule, mais j'espérais bien qu'il serait dans la prochaine.

Après un repas copieux, pourtant largement critiqué par Mme de Boisjourdan, et quelques œillades d'Henri que j'ignorai, Claude-Marie et moi regagnâmes notre chambre.

Lorsque nous fûmes dans le lit, elle soupira :

— Vous m'avez ouvert votre cœur, à mon tour de vous ouvrir le mien.

Sa confiance m'honora et je l'écoutai avec attention.

— Nous ne sommes pas catholiques et nous n'allons pas au Puy pour prier la Vierge noire. Nous sommes huguenots... enfin, nous l'étions. Nous nous sommes convertis pour éviter les persécutions. Je n'avais point envie de finir ma vie au couvent, Henri n'avait aucun goût pour les galères. Et, sincèrement, je crois inutile de mourir pour une religion. Quelle est votre position sur ce chapitre ?

Prise au dépourvu, je hasardai :

— J'ai été élevée dans la foi catholique et j'aime Simon, ancien huguenot converti... Je ne connais pas bien cette religion et j'ignore s'il y a une bonne ou une mauvaise religion.

— Qui peut le dire ? Dieu seul le sait, mais il ne nous parle pas clairement sur ce sujet. En ce qui me concerne, mon choix est fait, ce n'est ni la religion catholique ni la religion huguenote, mais une petite religion à moi.

— Une... une religion à vous ? Qu'est-ce à dire ?

— Eh bien, je prie Dieu, tout simplement, sans lui demander s'il veut que je sois catholique ou protestante... parce que Dieu n'a pas de religion, il est Dieu, c'est tout.

Je la regardai comme si j'avais vu une apparition divine tant ce qu'elle disait était à la fois grave et plein de bon sens. Pour ma part, je ne me sentais pas le courage de n'avoir point de religion mais je gardai cette opinion par-devers moi.

— Pourquoi allez-vous au Puy, alors ?

— Pour me marier avec un bon vieux catholique. Monseigneur l'évêque de Chantilly l'exige afin de consolider ma conversion au catholicisme. Henri, quant à lui, doit épouser la cadette d'une vieille famille catholique du Velay.

— Ce doit être terrible d'être marié à un homme ou à une femme que l'on n'aime pas.

— Je préfère le mariage au couvent... On se libère plus facilement d'un vieux mari malade que des grilles d'un couvent, lança-t-elle dans un grand éclat de rire avant d'ajouter : Et pour Henri, il paraît que la donzelle n'est pas trop mal de sa personne, alors...

J'admirai son courage et sa joie de vivre.

Après ces aveux et les miens, le voyage fut plus agréable. J'avais réussi à me libérer du poids de mon secret et elle m'avait livré le sien, créant entre nous une sorte de complicité qui me rappela un peu celle qui m'avait unie à Louise, Isabeau et Charlotte. Ses parents ne parlaient pas beaucoup, sauf pour se plaindre de l'état déplorable des chemins, de la qualité médiocre des hostelleries, de la cherté de la vie, mais nous avions pris le parti de les ignorer, échangeant parfois à voix basse quelques propos.

Hélas ! un orage de fin du monde nous retint bloqués dans une mauvaise auberge à l'orée d'une forêt qui me parut sinistre. Nous avions été dans l'obligation de nous y arrêter car l'un des chevaux avait perdu un fer, nous empêchant de poursuivre plus avant. Il plut sans discontinuer toute la journée et un cavalier de passage nous apprit que les chemins étaient impraticables, assurant même que des ponts étaient submergés par les eaux. Cette immobilité forcée me mit les nerfs à vif. Je ne souhaitais qu'une chose : reprendre la route afin de rejoindre Simon au plus vite. Mme de Boisjourdan voulait profiter de cette halte pour dormir tout son saoul. Je craignis un instant que nous ne prolongeâmes notre séjour. Heureusement pour moi, sa paillasse était infestée de poux et, le lendemain, furieuse et tempêtante, elle exigea le départ. Je bénis les infâmes bestioles.

J'avais espéré un instant que Simon, gêné lui aussi par les intempéries, se serait réfugié dans la même auberge que nous. Claude-Marie comprit ma peine à mon air chiffonné.

— Il y a des centaines d'auberges jusqu'au Puy et ç'aurait été un miracle si son choix avait correspondu au nôtre.

— Certes...

— Voilà un cœur bien épris ! plaisanta-t-elle.

Je rougis. Mais ses paroles ne me réconfortèrent pas. Nous allions de relais en relais, d'auberge en auberge, et en aucun lieu je n'avais vu Simon. Où était-il ? Avait-il été attaqué par des brigands ? Avait-il fait une mauvaise chute de cheval ? Avait-il été arrêté par la police ?

Un soir, morte d'angoisse, je me confiai à Claude-Marie.

— Que vous êtes donc pessimiste ! Les hommes n'ont pas besoin comme nous d'autant de présence. Il vous a donné rendez-vous au Puy et cela lui suffit.

— Sans doute... pourtant, il est étrange qu'il ne se soit pas arrangé pour être au moins une fois sur notre chemin.

— Peut-être justement a-t-il choisi une voie plus discrète que la nôtre. Il ne faut pas attirer l'attention d'un quelconque espion du Roi. Livrer un jeune protestant converti qui a enlevé une demoiselle de Saint-Cyr doit mériter une bonne récompense.

— Oh, Dieu... s'il était arrêté, j'en mourrais !

Pour me faire oublier mes tourments, Claude-Marie saisissait tous les moyens de me divertir et transformait un modeste incident en un conte qui nous occupait pendant des heures : une roue de la voiture embourbée dans une ornière qui nous obligea à descendre et à patauger dans la boue nous fit rire longuement. Un gamin arrêta les chevaux pour nous vendre trois pommes véreuses. Claude-Marie inventa un jeu de hasard pour savoir qui croquerait celle qui avait le plus de vers. Un autre jour, dans un relais, une fillette insista pour nous offrir un petit chat blanc en nous assurant qu'il nous porterait bonheur... Du coup, Claude-Marie énuméra toutes sortes de vœux fantaisistes et sérieux qu'elle demanda à l'animal d'exaucer. Henri, que Claude-Marie avait informé de ma situation, était toujours prévenant avec moi, ce qui était le signe qu'il était un parfait gentilhomme... ou un goujat prêt à courir deux lièvres à la fois : j'ignorai volontairement la deuxième solution.

L'amitié du frère et de la sœur m'aidait à supporter l'absence de Simon dans la journée. Mais à chaque étape son absence me tourmentait, tant et si bien qu'un matin je me réveillai avec une certitude atroce : il était mort !

10

La voiture s'engagea bientôt sur des routes montagneuses et la vue des précipices que nous longions me donna le vertige. Après des lieues de mauvais chemins, Claude-Marie pointa l'index par la portière et s'exclama :

— Le Puy !

J'ouvris des yeux stupéfaits.

Quel endroit étrange !

Le noir, le pourpre, le gris, l'ocre, le feu se disputaient le paysage. La pierre et la roche se mêlaient. Dykes volcaniques[1] et colonnes basaltiques surgissaient des

---

1. Roche éruptive en forme de colonne ou de muraille.

ravins. Tout cela me mit mal à l'aise comme si le diable avait voulu marquer ici son empreinte de feu. Heureusement, la ville était protégée par la Vierge noire.

Nous arrivâmes un jour de marché et le cocher eut beaucoup de difficultés à se frayer un passage parmi la foule, les étals, les charrettes et les bestiaux. Enfin, après qu'il eut pesté, juré et se fut fait vertement invectivé par ceux que nous dérangions, il arrêta la voiture dans la cour de l'auberge du Tourne-bride.

Mme de Boisjourdan mit pied à terre, tapota sa jupe pour la défroisser et gémit :

— Il ne manquait plus que la foire ! Rien ne nous aura été épargné ! Vous auriez pu choisir une auberge mieux située, mon ami. Il va nous falloir supporter le cri des colporteurs et les odeurs des volailles et des porcs !

— Dès ce soir, je préviens M. de Rochecolombe, qui se fera un devoir de nous offrir l'hospitalité.

— Je l'espère. Ce voyage m'a épuisée et puisqu'il faut marier Claude-Marie et Henri, que ce soit le plus vite possible. Ce pays-ci ne me plaît pas, je regrette la douceur de Chantilly.

J'avais moi aussi sauté de voiture pour apercevoir plus rapidement Simon. S'il n'était pas mort, il allait surgir à l'instant, me prendre dans ses bras et m'emporter avec lui. Je tournais lentement sur moi-même afin de scruter au mieux tous les points cardinaux. Claude-Marie surprit mon manège.

— Allons, ne vous mettez pas martel en tête ! Il n'est pas encore arrivé, c'est tout. Vous le verrez ce soir, ou au pire, demain.

Déçue et inquiète, je soupirai :

— Dieu vous entende !

Simon ne parut pas dans la soirée.

Mme de Boisjourdan ne voulut pas dîner dans la salle commune. Elle refusa d'être mêlée aux marchands, chalands, bonimenteurs qui parlaient fort dans un dialecte infâme, buvaient trop et mangeaient avec appétit des lentilles au lard, plat qu'elle détestait. Elle se fit servir dans sa chambre et exigea que nous fissions de même.

Je ne pus rien avaler. J'attendais... J'attendais que Simon frappât à la porte. Personne ne frappa.

La nuit se faisant plus profonde, mon angoisse s'intensifia. Qu'allais-je devenir dans cette ville inconnue si Simon ne venait pas me chercher ? Continuer à être à la charge des Boisjourdan était hors de question, et je m'imaginais déjà en train de mendier mon pain comme une va-nu-pieds.

Claude-Marie chercha à me distraire de mes idées noires. Elle n'y parvint pas et, si je me glissai dans le lit à son côté bien après le mitan de la nuit, je ne pus dormir.

Au matin, Mme de Boisjourdan vint demander à sa fille de se préparer pour la messe.

— La messe ? s'étonna Claude-Marie.

— Oui. Nous devons nous y montrer. D'ailleurs, la famille du sieur de Rochecolombe y sera.

Elle ne m'adressa pas la parole, considérant sans doute qu'elle avait fait son devoir en me menant jusqu'au Puy, et qu'à présent je pouvais me débrouiller seule.

J'aidai Claude-Marie à lacer son corset, à s'habiller, à se coiffer puis à se poudrer. Nous ne parlâmes pas, peut-être pour éviter de nous attendrir. Claude-Marie allait rencontrer son futur mari pour la première fois, et elle était tendue. Quant à moi, j'étais désespérée. Lorsqu'elle fut prête, elle s'excusa :

— Je regrette que vous ne veniez pas avec moi, mais ma mère...

— Je comprends parfaitement et ne vous en veux point.

Elle m'embrassa.

— Hortense, j'ai beaucoup apprécié votre compagnie pendant ce voyage et si par malheur Simon ne venait pas ce jour d'hui... et les jours suivants... je serais heureuse de vous garder près de moi.

Mme de Boisjourdan entra dans la pièce et nous voyant toutes deux enlacées, elle gronda sa fille :

— L'heure n'est plus aux embrassades ! Hâtez-vous où nous serons en retard, ce qui serait du plus mauvais effet !

Puis, s'adressant à moi, elle me suggéra :

— Tous les rendez-vous se donnent sur la place du Pot, vous devriez y aller, votre frère doit vous y attendre.

Ce qui était une façon détournée de me chasser.

Je souhaitai bonheur et santé à Claude-Marie puis je quittai la pièce rapidement pour cacher les larmes qui me montaient aux yeux. Dans la salle commune de l'auberge, je croisai Henri.

— Vous... vous partez ? s'étonna-t-il.

— Oui. Il est temps, lui répondis-je en essuyant d'un geste discret la larme qui descendait sur ma joue.

— Vous allez où ?

— Sur la place du Pot.

— Je vous accompagne.

Et avant que je n'aie eu l'envie de protester, il me prit le bras et nous sortîmes. Il me guidait avec douceur et fermeté parmi les nombreux pèlerins, les charrettes de victuailles, les marchands, les baladins, les badauds et les fidèles se dirigeant vers la basilique pour la messe. Sur la place du Pot, la foule était aussi dense. Comment retrouver Simon ? Je me hissai sur la pointe des pieds, avançant un peu sur la droite, revenant vers la gauche, Henri toujours dans mes pas.

Soudain, une voix cria :

— Hortense ! Hortense !

Je me retournai tout d'un bloc : Simon courait vers moi.

Jamais je n'oublierai cet instant. Il bouscula un couple dont le mari grogna, manqua renverser un capucin. Je m'apprêtais à me jeter dans ses bras lorsqu'il s'arrêta net à un mètre de moi pour s'adresser à Henri d'une voix glaciale :

— Monsieur, vous donnez le bras à... à ma fiancée.

— Je croyais qu'il s'agissait de votre sœur ? riposta Henri, piqué par l'attitude de Simon.

— Non point, cette demoiselle est ma promise et je vous somme de vous éloigner.

— Holà, monsieur, baissez d'un ton ! Je ne faisais que rendre service à Mlle Hortense qui, soit dit en passant, n'a guère eu de vos nouvelles de la semaine et serait en droit de...

— Mêlez-vous de vos affaires. Les nôtres ne vous concernent pas.

Mon regard allait de l'un à l'autre tant j'étais stupéfaite de la tournure que prenait la conversation. Ils n'allaient tout de même pas s'écharper pour moi ! Henri ne m'était rien et je n'avais qu'une hâte, que Simon me serre contre lui. Je m'interposai :

— Messieurs, cessez cette vaine querelle. Henri a eu la bonté de m'escorter jusque-là, c'est le seul rôle qu'il a joué et je l'en remercie.

Puis j'ajoutai, un peu honteuse de lui faire cet aveu public :

— Simon, mon cœur est à vous. Que vous en doutiez me blesse.

Il rougit et s'excusa :

— La crainte de vous avoir perdue m'a faussé le jugement. Acceptez mes excuses, monsieur de Boisjourdan.

Les deux hommes se serrèrent la main et, afin de prouver à Simon que lui seul comptait pour moi, j'eus l'audace de glisser ma main dans la sienne pour quitter la place.

CHAPITRE

11

Nous marchâmes un moment en silence pour dénicher un coin tranquille. Nous nous engageâmes dans une ruelle qui débouchait sur une placette ornée d'une fontaine et nous assîmes sur la margelle de pierre. J'attendis qu'il parle.

— Vous m'avez manqué, murmura-t-il.

— À moi aussi... tous ces jours sans nouvelles de vous m'ont épuisée.

— Je le regrette.

Je jugeai ses réponses bien laconiques quand j'aurais voulu qu'il me conte par le menu ce qui l'avait tenu éloigné si longtemps de moi. Mon orgueil, cependant, m'interdisait de le questionner...

— Ah, ma mie, le destin est bien cruel envers nous ! me dit-il, enfin.

J'avais l'impression qu'il prenait toutes les précautions pour m'annoncer une catastrophe et je n'en pouvais plus. Je le bousculai un peu :

— Au fait, mon ami, au fait. Je suis prête à tout entendre.

— Eh bien voilà, commença-t-il.

Je me raidis dans une attitude digne et je me jurai de ne point m'effondrer, de ne point pleurer.

— Après vous avoir confié aux bons soins de la famille de Boisjourdan, j'enfourchai Sultan puis, après un grand nombre de lieues, je fis halte, à la nuit tombée, dans une modeste auberge. À proximité de l'écurie, j'entendis deux hommes devisant à propos d'un gentilhomme qui, ayant enlevé une demoiselle aux yeux et à la barbe de son père, était recherché par les gens en armes. Ils se réjouissaient de la prime qu'ils allaient toucher en le conduisant en prison et regrettaient qu'il n'y eût pas plus d'enlèvements afin d'augmenter leur solde. Je jugeai bon de ne pas traîner dans le coin et je repartis coucher dans la forêt.

Le lendemain, je m'éveillai secoué de frissons. J'avais la fièvre, mes jambes ne me portaient plus, et, sans secours, j'étais persuadé de mourir sous peu.

Honteuse d'avoir pu imaginer une quelconque vilenie à son sujet, je posai une main compatissante sur son bras.

Il me sourit et poursuivit :

— Fort heureusement, un bûcheron m'aperçut et, me chargeant sur son dos comme un vulgaire fagot, il me déposa dans sa masure où il m'allongea sur une paillasse à proximité d'un feu qui brûlait dans la cheminée. Sa femme me soigna avec des infusions de plantes, mais pendant trois jours je fus entre la vie et la mort. Au matin du quatrième jour, la fièvre tomba et je commençai à me nourrir d'œufs battus dans du lait. Au sixième jour, bien qu'étant encore dans un état de faiblesse extrême, je quittai ces braves gens afin de reprendre ma route. Ne voulant pas passer pour un ingrat, je leur offris une grande partie de ma modeste bourse.

— C'est donc pour cela que vous n'avez pas pu faire halte dans les auberges, remarquai-je.

— Oui, et c'est ne pas savoir où vous étiez qui m'a redonné la force de monter à cheval.

Puis, me serrant contre lui, il reprit :

— Oublions tout cela. Nous voilà à nouveau réunis et je jure bien que plus rien ne nous séparera. Partons sur l'heure pour le Vivarais. J'ai hâte de vous présenter mon père. Vous verrez, c'est un homme courageux, fier et droit. Il vous accueillera à bras ouverts.

— Et je suis prête à le chérir et à le servir comme s'il était mon père.

— Là-bas, le curé du village, que notre conversion au catholicisme a comblé, acceptera de nous marier sans le consentement de votre père, puisque nous aurons la bénédiction du mien. Cela vous convient-il ?

Qu'il évoquât mon père me troubla. Je pensais à la honte qu'il éprouverait en apprenant ma fuite de Saint-Cyr et mon mariage avec un huguenot converti, et aussi à la peine de Babeth, ma nourrice. Je cachai mon tourment à Simon et bredouillai :

— Oh, Simon, devenir votre femme est mon vœu le plus cher !

Nous chevauchâmes trois jours, nous arrêtant pour dormir dans des auberges connues de Simon. Il s'y était arrêté avec son père de nombreuses fois lors de leurs déplacements pour les foires des environs. Nous y fûmes bien accueillis et aucune question embarrassante ne fut posée à mon sujet. Au fur et à mesure que nous approchions de chez lui, Simon se détendait, il plaisantait même avec les hôteliers dans la langue locale. Il lui semblait que rien de fâcheux ne pouvait lui arriver dans son pays. Sa gaieté était communicative et je parvenais, moi aussi, à mettre mes soucis de côté pour ne penser qu'à la joie de rencontrer son père et surtout au bonheur d'être unie à Simon devant Dieu.

Enfin, au détour d'un chemin tortueux, il me désigna le toit de tuiles rousses d'une tour que l'on apercevait sur une butte plantée de chênes :

— C'est là, lâcha-t-il, la voix enrouée d'émotion.

Lorsque nous pénétrâmes dans la cour, je découvris un bâtiment carré dont la façade percée de deux rangées de fenêtres étroites se terminait par une tour à chaque extrémité. Un perron de quelques marches conduisait à une lourde porte de chêne. Sur le côté droit, une écurie et des communs dont ne parvenait aucun bruit.

Simon sauta de cheval et m'aida à en faire autant.

— Il n'y a pas grand-monde pour nous accueillir, me lança-t-il comme une boutade.

— C'est que personne n'est au courant de votre retour.

Mais ce silence, ce vide, me fit une curieuse impression.

Tout à coup, la porte s'ouvrit. Une femme parut sur le seuil. Simon se retourna, scruta le visage de la femme, puis appela :

— Célestine !

La femme mit ses mains en visière devant ses yeux pour s'appliquer à reconnaître le visiteur. Elle descendit sur la première marche puis, levant les bras au ciel, elle s'écria :

— Monsieur Simon ! Dieu, est-ce possible ! Monsieur Simon !

Après quoi, elle fondit en larmes.

En quelques enjambées, Simon la rejoignit et la serra avec affection dans ses bras.

— Ah, Célestine, vous au moins êtes fidèle à notre famille !

— Il n'aurait plus manqué que je parte au moment où l'on a le plus besoin de moi... et pour aller où, je vous le demande ?

Simon se tourna alors vers moi et, me faisant signe d'avancer, il me présenta :

— Hortense, voici Célestine, la gouvernante de cette maison.

Puis, s'adressant à cette dernière, il lui annonça :

— Célestine, voici Hortense de Kermenet, que je vais bientôt épouser.

La vieille femme me fit une petite révérence, me dévisagea quelques instants et se lamenta :

— Ah, monsieur, je ne sais si votre mariage est le sujet du moment.

Simon fronça les sourcils et s'inquiéta :

— Avez-vous de mauvaises nouvelles de mère et d'Héloïse ?

— Ni bonnes ni mauvaises, monsieur, nous n'en avons point du tout. Et justement...

Elle éclata en sanglots. Simon lui entoura les épaules de son bras et l'incita à parler. Entre deux hoquets nerveux et après s'être mouchée dans un coin de son tablier, elle bredouilla :

— C'est Monsieur... Il... il ne supporte plus de ne pas savoir... Il est alité depuis... depuis des mois... Il est si faible qu'il ne peut même plus manger seul... Il se laisse mourir.

Simon se redressa et, nous laissant toutes les deux sur le perron, il s'engouffra dans le château, traversant les pièces d'un pas vif en direction de la chambre de son père.

CHAPITRE

12

Célestine me fit entrer dans un salon glacial. La cheminée était éteinte et l'humidité de la pièce me fit frissonner malgré la cape de drap donnée par Claude-Marie que j'avais gardée sur les épaules.

— Puisque Monsieur ne se lève plus, je n'allume de feu que dans sa chambre, m'expliqua la vieille femme.

Je lui souris pour lui montrer mon approbation. Elle me le rendit de sa bouche édentée et sortit, fermant la porte derrière elle.

La pièce n'était meublée que de quatre chaises à bras et d'une importante bibliothèque dont la plupart des étagères étaient vides de livres. Au sol, un tapis. Un seul mur s'ornait d'une tapisserie, les deux autres laissaient voir les crochets ayant servi à suspendre des tentures à présent disparues. Le quatrième mur était occupé par l'imposante cheminée noire et froide. Par la fenêtre, j'avais un aperçu sur la cour et sur les champs, qui me parurent en friche. Tout cela me laissa supposer que la famille de Lestrange était dans le besoin – ce qui m'affligea pour Simon. Pas pour moi. Épouser un homme riche n'était pas mon but et je préférais de loin l'amour sans argent à l'argent sans amour. Pour autant, je me demandais de quoi nous allions vivre. Je n'avais pas de dot, Simon n'avait plus d'emploi et s'il ne tirait aucun revenu de ses terres, nous serions rapidement réduits à la mendicité.

Le temps me parut long toute seule dans cette pièce glaciale. La pénombre commençait à m'envelopper, Célestine n'ayant sans doute pas jugé utile de m'apporter une chandelle. Je m'étais assise sur une des chaises à bras et, vaincue par la fatigue, je m'assoupissais lorsque la porte s'ouvrit sur Simon, un bougeoir à la main.

— Venez, me dit-il, je vais vous présenter à mon père.

Il avait les yeux rougis par les larmes.

Dans la chambre où je pénétrai, il faisait bon. Le feu qui crépitait dans la cheminée éclairait le lit où un vieil homme reposait, la tête appuyée sur plusieurs oreillers.

— Approchez, mon enfant, bredouilla-t-il en levant une main squelettique en guise de bienvenue.

Je compris la peine de Simon en voyant cet homme dont il m'avait vanté la force et le courage.

— Ne pas savoir ce que sont devenues ma femme et Héloïse a ruiné ma santé et ne pas pouvoir partir à leur recherche me tue. Jamais je ne me pardonnerai de ne m'être point exilé avec elles.

— Voyons, père, vous avez fait pour le mieux, comme toujours et...

Le malade arrêta Simon d'un geste nerveux :

— Non. En cédant à l'ignoble chantage de Charles de Bourdelle qui prétendait être mon ami, j'ai signé mon abjuration et notre perte à tous ! Charlotte est enfermée dans la Maison Royale d'Éducation, j'ai perdu ma femme et ma fille aînée, et vous, mon fils, qui aviez seul un bénéfice de ma trahison en occupant une charge auprès de M. de Pontchartrain, vous venez de la quitter.

De grosses larmes silencieuses coulaient sur ses joues creuses.

Après un long silence troublé seulement par le crépitement des bûches dans la cheminée, M. de Lestrange reprit :

— Simon, vous souhaitiez ma bénédiction afin d'épouser cette demoiselle selon les rites de l'Église catholique. Pardonnez-moi, mais je ne puis... c'est... au-dessus de mes forces. Tous nos malheurs sont venus de ce que je n'ai pas été assez courageux pour rester fidèle à la religion huguenote dans laquelle je suis né.

Le vieil homme parlait avec de plus en plus de difficulté. Il me faisait pitié et bien qu'il nous refusât son aide pour notre union, je ne lui en voulais pas.

— À présent, ajouta-t-il faiblement, ne pouvant plus sauver les miens sur cette terre, je n'aspire qu'à la mort.

Simon, prostré devant le désolant spectacle de son père malade, redressa brusquement le buste et lança :

— La maladie vous empêche d'agir, alors j'agirai à votre place ! C'est moi qui vais rechercher mère et Héloïse pour les ramener en Vivarais !

Je le regardai comme s'il était l'ange Gabriel. Son père leva sur lui le même visage de stupeur et d'admiration.

— Vous... vous feriez cela ?

— Oui. Je n'ai, jusqu'à ce jour, tiré que des avantages de ma conversion et j'ai volontairement ignoré les drames qui vous accablaient. Il est de mon devoir de réparer. Je partirai donc dès demain.

Un coup d'épée me transperça. Quoi ? Il allait encore une fois me laisser ? Il n'en était pas question. Je répliquai aussitôt :

— Je pars avec vous.

La fermeté de ma voix les surprit.

Simon me mit en garde :

— Je ne peux, ma mie, vous exposer aux dangers d'une pareille expédition et il serait plus sage que vous m'attendiez ici.

Mon sang bouillonna dans mes veines. J'en avais assez d'être sage, assez que l'on décide pour moi, assez d'être séparée de lui alors que l'on venait à peine de se retrouver, assez de toutes les années de soumission que Saint-Cyr m'avaient imposées. Je voulais prendre mon destin en main. Ne parvenant pas à exprimer tout cela en quelques mots, je répétai :

— Je pars avec vous.

L'étonnement rendit Simon muet et c'est son père qui prit la parole :

— Hortense, votre courage vous honore. Je serai fier que vous deveniez ma bru lorsque les circonstances s'y prêteront.

Cette phrase me combla d'aise et me fit légèrement rougir. M. de Lestrange m'acceptait dans sa famille et c'était un grand bonheur.

— Mais, père, cela peut être dangereux, plaida Simon.

— Visiblement, le danger n'effraie pas cette demoiselle... Comme elle est catholique de naissance, elle ne sera pas inquiétée à la frontière et si vous prétendez être son époux, vous passerez sans difficulté.

— Et qu'irions-nous faire tous les deux en Suisse qui n'attire pas l'attention de la maréchaussée ? s'enquit Simon.

— Vendre des floches de soie grège[1]. Celles-là mêmes qui sortaient autrefois de nos moulinages. Maintenant, je n'ai plus la force de m'en occuper, les ouvriers sont partis et les moulins se sont tus.

— Voilà une excellente idée ! m'exclamai-je rapidement afin que Simon abonde dans mon sens.

Mais cette fois, l'idée de son père le séduisit lui aussi et il opina du chef.

— À Genève, vous demanderez la famille Musard, rue Guillaume-Farel, ce sont les amis qui devaient héberger ma femme et ma fille.

Épuisé par cette conversation, le vieil homme ferma les yeux. Simon et moi restions dans la ruelle du lit sans oser bouger.

Après quelques minutes de silence, M. de Lestrange ordonna à son fils :

1. Ensemble d'écheveaux de fils de soie naturelle qui quittent les moulinages pour être ensuite teints et tissés dans la région de Lyon.

— Prenez la main d'Hortense et agenouillez-vous, je vais vous bénir afin que Dieu vous accorde sa protection.

Je m'agenouillai et reçus cette bénédiction comme s'il s'agissait du sacrement du mariage.

13

Trois jours plus tard, nous attelâmes Sultan à une carriole légère, celle qui servait à Mme de Lestrange et à ses filles lorsqu'elles se déplaçaient. Nous espérions que l'été de la Saint-Martin, qui s'était prolongé jusqu'au cœur de l'automne, nous permettrait d'atteindre la Suisse avant les premières neiges. Nous emportions, enveloppées dans de la toile, une dizaine de floches de soie et une malle contenant quelques effets personnels.

M. de Lestrange m'avait proposé de prendre jupes, jupons, justaucorps et bustiers ayant appartenu à Héloïse. J'avais tout d'abord refusé. Puis, ne pouvant décemment pas voyager avec la seule tenue offerte par Claude-Marie, je finis par accepter et j'en choisis deux qui me parurent avoir été déjà souvent portées. Simon piocha dans un coffre contenant des vêtements qu'il avait abandonnés en partant pour Versailles et, comme il n'avait ni forci ni grandi, il fut habillé à bon compte. M. de Lestrange avait obtenu du curé de la paroisse deux sauf-conduits précisant que nous étions catholiques, ce qui était vrai. Il refusa toutefois d'indiquer que nous étions mariés... puisque nous ne l'étions pas. Mais nous n'avions pas de passeports pour franchir la frontière. Il nous expliqua qu'il était inutile d'en solliciter car, sa femme et sa fille ayant fui à l'étranger pour éviter la conversion, son nom figurait sur la liste noire de ceux à qui l'on n'accorderait jamais de passeport.

M. de Lestrange nous fit mille recommandations, nous nommant les lieux à éviter et ceux qui comportaient moins de danger pour les huguenots fraîchement convertis.

— Surtout, ne traversez pas Valence, vous risqueriez de tomber entre les mains du sieur Henri Guichard, dit La Rapine. Il est directeur de l'hôpital et prend un malin plaisir à torturer ceux qu'on lui amène et surtout les personnes du sexe[1]. Il me

1. C'est ainsi que l'on appelait les femmes, à cette époque.

semble que le passage le plus sûr est de franchir le lac à Aix qui est en territoire de Savoie[1], vous y serez à l'abri des persécutions françaises et la Suisse ne sera plus loin.

Une sorte d'euphorie s'empara de moi lorsque je m'installai dans la carriole avec Simon, comme si nous étions mari et femme en route pour le marché. J'oubliai le péril et l'importante mission que nous nous étions donnée pour ne goûter que le bonheur d'être avec lui.

Nous longeâmes le Rhône jusqu'à Tournon où nous fûmes hébergés pour la nuit au château de la famille Ventadour, amie des Lestrange. Le lendemain, nous arrivâmes à la couchée[2] à l'auberge des Trois Sangliers à Tullins. Dès l'aube, nous repartîmes. Le temps avait fraîchi et une pluie fine et serrée se mit à tomber. Puis le vent se leva et les bourrasques nous trempèrent jusqu'aux os en quelques heures. Nous nous arrêtâmes au relais de Paladru et, si l'on en jugeait par le nombre des voitures qui encombraient la cour, nous n'étions pas les seuls à avoir été surpris par les intempéries.

1. La ville d'Aix (-les-Bains) était en territoire étranger. La Savoie n'était pas encore française.
2. À la couchée : à l'heure du coucher, dans la soirée.

— Allez vite vous mettre au chaud, me proposa Simon, je vais dételer Sultan, le bouchonner et le nourrir, après quoi, je vous rejoindrai.

La pièce où j'entrai était pleine d'hommes qui parlaient fort, riaient, buvaient. Peu de femmes. Je cherchai un coin tranquille afin d'ôter mon chaperon trempé. Il me sembla que, dans l'angle opposé à la cheminée, la foule était moins dense. Je m'y faufilai. Une femme qui tenait un enfançon sur ses genoux se poussa un peu pour me faire de la place sur le banc. Je me posai plus que je ne m'assis, dans l'attente du retour de Simon.

L'enfant, qui devait avoir deux ans, attrapa pour jouer une mèche de mes cheveux qui pendait lamentablement sur mon épaule. Je lui fis quelques cajoleries, il gazouilla des mots incompréhensibles.

— Voyons, Samuel, gronda doucement sa mère, n'importune pas madame.

Le prénom me fit penser que cette femme et son enfant étaient huguenots et, afin d'être aimable, je lui demandai à voix basse :

— Vous êtes de la religion ?

Elle baissa la tête et garda le silence. Je m'en voulus aussitôt de mon indiscrétion.

Tout à coup, un homme et trois gardes en armes pénétrèrent dans la salle. Les conversations et les rires s'arrêtèrent instantanément.

— C'est le juge du canton, remarqua un grand dadais maigre.

— Il a dû, lui aussi, être incommodé par la tempête, reprit tout bas un gros bonhomme rougeaud.

— Ouais, mais on n'aime pas trop qu'il traîne par chez nous.

— Il cherche sûrement ceux de la religion qui veulent fuir avec leur magot vers la Suisse !

Lentement, ma voisine saisit un baluchon posé à ses pieds et, serrant l'enfant contre son sein, elle se leva et se dirigea vers la sortie comme s'il était l'heure pour elle de monter dans la diligence. L'un des gardes l'apostropha d'une voix de stentor :

— Holà, madame, vous voilà bien pressée de nous quitter. Serait-ce que la maréchaussée vous effraie ?

— Non, point, monsieur... j'allais respirer dehors...

Il éclata d'un rire sonore et, tapant sur l'épaule de son collègue, il se moqua :

— Par un temps pareil ! Encore une huguenote qui nous prend pour des simples d'esprit !

Se voyant découverte, la malheureuse ne put garder son sang-froid, elle se rua sur la porte où l'un des gardes lui saisit violemment le poignet et le lui tordit dans le dos. Son baluchon lui échappa, mais elle serra plus fort contre elle l'enfant, qui se mit à hurler.

— À nous la prime ! se félicita le tortionnaire.

La jeune mère me jeta un regard éploré. Je le reçus en plein cœur. Mais que pouvais-je faire ? M'interposer ? Parlementer ? Hélas ! je n'avais aucun pouvoir pour la faire libérer et me signaler signait mon arrestation. Je manquai de décision ou de courage et je ne bougeai point du banc où j'étais assise.

Heureux de cette prise, le juge ordonna à ses sbires :

— Vérifiez l'identité de tous ces gens. S'il y a d'autres huguenots, nous amortirons ainsi le déplacement jusqu'à la prison.

Une bouffée de chaleur empourpra mes joues. Je n'avais, en principe, rien à craindre... mais Simon... Nous n'étions pas loin du Vivarais et il se pouvait bien que le nom de Lestrange soit connu comme étant celui d'une famille huguenote dont certains membres avaient refusé de se convertir. Je priai Dieu pour qu'il n'entre pas dans la salle.

Je présentai mon sauf-conduit à une brute mal rasée. Il l'examina avec attention.

— Vous êtes seule ?

J'inventai aussitôt une fable plausible.

— Le valet qui m'accompagne est à l'écurie. Je me rends au chevet de mon père mourant... Il a été blessé à la guerre au service du Roi.

Il n'ajouta pas un mot et s'adressa à l'homme qui était debout derrière moi.

Je soufflai. J'adressai un regard compatissant à la jeune mère, mais je n'étais pas fière de moi, et sauver ma vie en sachant que d'autres allaient souffrir la prison pour cause de leur religion me désespérait.

Je ne quittais pas la porte des yeux, craignant à chaque seconde de voir s'y encadrer Simon qui devrait s'expliquer, faire celui qui ne me connaissait pas pour éviter de détruire mon conte. Je ne vivais plus. J'allais à coup sûr m'évanouir d'angoisse sous peu.

Les gardes arrêtèrent deux autres huguenots, puis ils quittèrent l'auberge.

La jeune femme, le visage noyé de larmes, se laissa emmener sans plus de résistance.

Dès que la porte se fut refermée, les conversations, les rires, le choc des pots de grès pleins de vin reprirent. J'étais, quant à moi, pétrifiée sur mon banc.

Les minutes passaient. Simon ne revenait pas.

Avait-il été arrêté ?

CHAPITRE

14

La porte s'entrebâilla enfin sur le visage tourmenté de Simon. Sans réfléchir, je me précipitai à son encontre, bousculant un ivrogne qui m'insulta copieusement.

— Dieu soit loué ! s'exclama Simon, vous n'avez pas été inquiétée.

Mon angoisse avait été telle que je ne pus m'empêcher de le lui reprocher :

— Vous avez été bien long !

— C'est que je n'ai point su tout de suite que le juge et ses gardes étaient dans la salle. Je bouchonnais Sultan lorsque j'ai surpris une conversation. Il s'agissait d'un huguenot s'entretenant avec un passeur. Vous savez, ma mie, que ces sortes de renseignements sont précieux et difficiles à obtenir... et j'avais là, sous la main, un homme qui pouvait nous sauver. J'ai laissé le huguenot s'éloigner, puis, à mon tour, je me suis approché du passeur et, à voix basse, je lui ai exposé notre situation. Il m'a assuré qu'il pouvait nous conduire jusqu'à Aix moyennant une somme rondelette.

— Êtes-vous certain de l'honnêteté de cet homme ?

— Je n'ai aucune preuve de sa bonne foi... et il n'est pas facile de faire parler les gens sur de pareils sujets. Les passeurs risquent eux aussi la prison et les galères et, dans les bourgs proches des frontières, tout le monde se méfie de tout le monde.

— Qu'allons-nous faire alors ?

— Le suivre. Je n'ai pas d'autres solutions. Il propose de traverser le lac du Bourget en barque. De l'autre côté, c'est le royaume de Savoie. Afin de le mettre dans de bonnes dispositions, je lui ai déjà payé la moitié de la somme, il aura l'autre lorsque nous serons en terre étrangère.

— Quand partons-nous ?

— Je lui ai dit que nous étions pressés. Ce sera donc pour demain soir deux heures après minuit.

Simon aurait voulu quitter l'auberge sur-le-champ. Je ne m'en sentis pas le courage. L'arrestation de la jeune femme et de son enfant m'avait si fort perturbée qu'un violent mal de tête me serrait les tempes et que je sentais bien que mes jambes ne me porteraient pas longtemps. Après que je lui eus conté en détail la scène dont j'avais été le témoin, il me prit dans ses bras et me réconforta :

— Je comprends, ma mie. Une bonne nuit de sommeil vous fera oublier cela.

J'étais persuadée de ne jamais oublier le regard éperdu de cette mère.

Après lui avoir montré nos sauf-conduits prouvant que nous étions catholiques, l'aubergiste nous octroya une méchante pièce en soupente. Je m'allongeai tout habillée sur une paillasse malodorante sur laquelle Simon avait étendu son manteau pour me protéger de la vermine qui devait grouiller dans le crin. Il s'assoupit sur une chaise.

Rompue de fatigue et d'émotion, je finis par m'endormir à mon tour.

Lorsque j'ouvris un œil, j'étais seule dans la pièce et l'angoisse me fit lever d'un bond. J'essayai d'apercevoir la cour par la petite fenêtre de la pièce, mais elle donnait sur le toit. J'entendais le martèlement des sabots des chevaux sur le pavé, ainsi que le craquement des roues des voitures et les cris des valets, sans rien voir. J'allais me résoudre à descendre dans la salle lorsque Simon entra, le visage blême :

— Vite, partons. Je viens d'apprendre que le passeur avec qui j'ai traité a déjà trahi plusieurs huguenots.

— Nous ne le sommes pas !

— Certes. Mais nous n'avons pas de passeports et cela fait de nous des suspects. Et puis je crains bien que le nom de Lestrange soit sur la liste des rebelles à la religion catholique. Il se pourrait donc que, sous peu, on vienne nous arrêter.

Simon souleva la malle contenant nos effets et nous dévalâmes l'escalier pour rejoindre Sultan et la carriole dans la cour.

En quelques minutes, nous avions quitté la place.

Le plus cruel était que nous ne savions pas si nous avions fui à tort, perdant une partie de notre pécule, ou si nous devions nous cacher de nos éventuels poursuivants. La carriole retardait notre avancée car les chemins empruntés étaient de plus en plus pentus et malaisés au fur et à mesure que nous approchions des montagnes.

Au relais de poste, situé à l'entrée du hameau de Charavines, Simon décida de se séparer de l'attelage et de son contenu. Il entra à l'auberge et en ressortit bientôt suivi d'un homme grand et musclé qui me sembla aussi fort qu'un bœuf. Ce dernier ouvrit les balles de soie, y plongea la main, malaxa les fils, les mira à la lumière, puis il examina les essieux, et donna un coup de pied dans chaque roue. Tout cela sans ouvrir la bouche sauf pour émettre deux ou trois grognements. Simon et lui se reculèrent de quelques pas pour parlementer. La discussion ne dura guère. À un moment, l'homme lança un juron et se dirigea vers la porte de son auberge. Simon le rattrapa par la manche. L'homme sortit alors une bourse de son pourpoint et compta des pièces, qui tombèrent dans la main de Simon, puis il appela un garçon d'écurie et entra chez lui sans se retourner.

Simon, visiblement contrarié, me proposa son poing pour m'aider à descendre de la carriole, puis il déposa le coffre à même le sol boueux et me dit :

— Nous ne pourrons tout emporter. Abandonnez mes vêtements et serrez les vôtres dans un baluchon.

Pendant que je faisais le tri, le jeune valet s'affairait à dételer Sultan.

— Vous cherchez un passeur ? s'informa-t-il sans arrêter son travail.

— Qu'est-ce qui te fait penser que c'est le cas ? répliqua Simon.

— J'ai entendu vot' transaction et pour vendre à si vil prix vot' attelage et son contenu, faut qu'vous soyez obligés de quitter l' pays vitement.

Simon ne nia pas et n'infirma pas non plus.

— Tu as quelqu'un à nous recommander ?

— Oui, moi. J'connais la moindre sente de la région et je peux vous guider hors des frontières à la barbe des gardes.

— Et qui me dit que je peux me fier à toi ?

Le jeune garçon eut un petit rire ironique :

— Personne. Ceux qui sont satisfaits de mes services sont plus là pour faire mes louanges... Y sont d'l'autre côté d'la frontière.

Je ne sais pourquoi ce garçon, qui ne devait pas avoir plus de treize ou quatorze ans, m'inspira confiance. Simon dut partager mon sentiment car il demanda :

— Quel est ton prix ?

Le jeune valet flatta l'encolure de Sultan et déclara :

— Vot' cheval.

Simon réfléchit un instant puis murmura :

— J'accepte. Tu auras le cheval sitôt la frontière franchie.

— Et voilà bien la preuve que j'ai pas l'intention de vous trahir puisque vous ne me paierez que lorsque vous serez en sécurité.

— Le marché est honnête, en effet.

— Maintenant, filez pour ne pas attirer l'attention de mon maître. Rendez-vous à minuit à la croix de Maloza à deux lieues d'ici à la sortie de Paladru.

— Quel est ton nom ?

— Appelez-moi Jean-Jean. Ça suffira. Moi, je ne veux rien savoir de vous. Moins on en sait, mieux on se porte.

Nous n'avions pas de selle pour Sultan, aussi Simon monta-t-il à cru. Et comme je n'avais pas d'étrier pour poser le pied et m'aider à m'installer, le garçon me prit par la taille sans façon et me lança comme un ballot de paille devant Simon qui me reçut contre lui. Le jeune garçon éclata d'un rire égrillard. Je rabattis prestement ma jupe et mon jupon qui en se soulevant avaient dévoilé mes chevilles. La honte me rougit le front.

Tandis que nous nous éloignions, je ne pus m'empêcher de penser qu'astheure[1] j'étais aussi dépouillée que le jour où Mme de Maintenon m'avait recueillie. La seule différence était l'amour de Simon. Cette constatation me conduisit à penser que l'amour nous fait commettre bien des imprudences et bien des folies...

---

1. Astheure : à cette heure.

CHAPITRE

15

Afin de nous prémunir contre les voleurs, Simon avait tenu à ce que je glisse dans les coutures de mon jupon les pièces que nous avions récoltées de la vente de la carriole et de la soie. J'avais caché dans la doublure de son pourpoint celles offertes par son père.

À la minuit, nous étions devant une grande croix de bois plantée sur une colline boisée à la croisée de deux chemins. Entre les arbres, on percevait la masse noire du lac que la lumière de la lune faisait miroiter par endroits et dont l'odeur de vase montait jusqu'à nous. Simon tenait le licol de Sultan d'une main et m'entourait les épaules de son bras, tandis qu'une petite bise acide me glaçait les joues.

Perdus dans nos pensées, nous étions tous deux silencieux.

Tout à coup, Jean-Jean fut devant nous. Je sursautai. Je ne l'avais point entendu arriver. Faisant fi des salutations, il lâcha simplement :

— Allons-y !

J'avais espéré qu'il apporterait une selle afin que je puisse monter Sultan plus commodément. Il n'en avait pas. Considérant, d'ailleurs, que l'animal était déjà à lui, il s'empara sans façon du licol et nous le suivîmes.

Le chemin était malaisé. Comme je trébuchais sur des racines dépassant d'une fange glaiseuse où les pieds s'enfonçaient, je pensai de façon assez incongrue que mes chaussures ne résisteraient pas à ce régime... mais j'ignorais ce qui nous attendait plus loin.

En effet, plus nous pénétrâmes dans la montagne et plus les chemins se révélèrent impraticables. Nous longeâmes des précipices affreux, nous courbant pour passer sous les branches des arbres qui avaient poussé, on ne sait comment, dans les interstices de la roche. La lune, qui un instant nous avait agréablement éclairés, s'était cachée derrière un nuage et nous n'y voyions goutte.

— Tant mieux, avait murmuré Jean-Jean en nous désignant du menton le faible halo auréolant le nuage.

Je ne partageais pas son avis. La lune m'avait rassurée. La noirceur de la nuit m'inquiéta. Les cailloux roulaient sous nos pieds et on les entendait ricocher contre les parois avant de tomber dans les profondeurs du ravin. Plus d'une fois je me retins aux branches d'un arbuste afin de ne pas dégringoler avec eux. Simon me tenait le bras pour me soutenir, mais souvent la sente était si étroite et pentue que nous ne pouvions avancer de front.

— N'y a-t-il pas un passage moins accidenté ? demandai-je à notre guide d'une voix essoufflée.

Il ne se retourna même pas pour me répondre :

— Si. Il y a le chemin carrossable... mais puisque vous cherchez à franchir la frontière sans passeport, je ne vous le conseille pas.

Je m'en voulus d'avoir posé une question aussi niaise.

Nous marchâmes longtemps. Le froid était plus piquant.

Tout à coup, mon pied ripa sur une plaque de glace, je battis l'air de mes bras en poussant un cri strident. Je glissai vers le précipice. J'allais m'y fracasser lorsque je me sentis retenue par la main ferme de Simon. Il m'aida à me relever et me serra fort contre lui :

— Jamais, jamais je n'aurais dû vous entraîner dans cette aventure !

Encore tremblante de peur, je ne pus que bredouiller :

— Merci.

Se sentant coupable, il reprit :

— J'aurais dû assumer seul les problèmes de ma famille. Ils ne vous concernent pas puisque vous êtes catholique... et ce chemin de croix est réservé aux huguenots.

— Simon, votre famille est la mienne à présent et je ne vous aurais pas laissé partir sans moi, lui assurai-je en massant mon poignet douloureux.

Jean-Jean, qui nous attendait à quelques pas, nous tança vertement :

— Le moment est mal choisi pour la discussion...

Nous reprîmes notre marche.

Il y avait de plus en plus de plaques de glace, les arbres s'habillaient de givre et l'air devenait glacial. Malgré le capuchon que j'avais rabattu jusqu'aux yeux, je ne sentais plus mes joues ; mes lèvres étaient douloureuses et mes doigts gelés s'engourdissaient. Ma jupe et mon jupon étaient dans un état pitoyable : déchirés par les ronces, maculés de terre, mouillés et raidis par le gel.

Jean-Jean était toujours largement devant nous. Suivi de Sultan qu'il guidait avec habileté, il gravissait la montagne avec autant d'aisance qu'une chèvre. Parfois même, nous le perdions de vue. Sa voix seule nous parvenait :

— Plus vite !

— C'est que... nous ne sommes pas des montagnards, se défendit Simon, le souffle court.

— Je le vois. Pourtant, il nous faut arriver au pont de Beauvoisin avant le lever du soleil, sinon...

Il ne termina pas sa phrase, mais ce « sinon » me fit courir des frissons d'épouvante sur le corps. J'accélérai le pas.

Après avoir grimpé en ahanant comme des bêtes, nous redescendîmes vers la vallée où coulait une rivière. Cependant, jugeant la descente encore plus périlleuse que la montée, je m'accrochai aux branches – qui m'écorchaient les mains –, redoutant que les cailloux qui roulaient sous nos pas ne m'entraînent à dévaler tout le sentier. Vers l'est, la nuit s'était déchirée en lambeaux orange et la lumière blafarde du jour nous permettait d'avancer avec plus d'assurance.

Enfin, Jean-Jean nous désigna un clocher et chuchota sa première phrase encourageante :

— Plus qu'une demi-lieue et vous y êtes !

J'en souris de satisfaction. De toute façon, j'étais à bout de forces, à moitié morte de froid et je ne crois pas que j'aurais pu aller plus loin.

Le bruit d'une cascade montait jusqu'à nous.

— Le Guiers, murmura Jean-Jean. De l'aut' côté, c'est la Savoie. Je connais un gué, juste avant la maison de Gustave. C'est là que nous traverserons.

Ces paroles atteignirent à peine mon cerveau. Je n'avais qu'une idée : pouvoir me réchauffer, me changer et me reposer dans une auberge savoyarde.

Nous sortîmes enfin de cette forêt sombre et malaisée et nous marchâmes dans une terre meuble et douce à mes pieds endoloris. L'air était moins vif. Dans un geste de soulagement et d'espoir, je serrai la main de Simon. Dans l'autre, il tenait notre modeste baluchon.

Tout à coup, Jean-Jean s'arrêta net.

— Quelque chose ne va pas ? s'informa Simon.

— Oui. Une chemise sèche devant la fenêtre de la mansarde, dit-il en désignant la maison. C'est un signe de Gustave.

— Et qu'est-ce qu'il signifie ?

— Que les gardes sont dans le coin. C'est de vot' faute. Vous avez traînassé en chemin... et à sept heures en hiver, c'est la relève de la garde... Il aurait fallu y être à six... lorsque ceux du premier quart sont à moitié endormis...

— Mon Dieu, qu'allons-nous faire ? m'inquiétai-je.

Jean-Jean me foudroya du regard, comme si nos difficultés m'étaient entièrement imputables. Il nous ordonna de nous mettre sous le couvert des arbres. Immobile, il scrutait la campagne.

— Ventrebleu ! s'écria-t-il soudain, les v'là !

Il nous désignait deux chevaux qui galopaient dans notre direction.

— Vous nous avez trahis ! s'emporta Simon.

— Non point, je vous le jure... mais il ne fait pas bon arriver au changement de garde !

Disant cela, il enfourcha Sultan, piqua des deux et disparut par le même chemin que nous venions d'emprunter après nous avoir conseillé :

— Fuyez ! Cachez-vous !

Trop tard. Dans quelques secondes, les cavaliers seraient sur nous.

— Hortense, je vous confie le soin de retrouver ma mère et ma sœur, je vais courir vers le gué. Ils partiront à ma poursuite en pensant que je suis seul et...

— Non ! criai-je en m'accrochant à lui.

— C'est la seule solution. Cachez-vous bien et, la nuit prochaine, essayez de passer la frontière... Vous êtes notre seul espoir. J'ai foi en votre courage... Je... je vous aime.

Il m'embrassa passionnément et avant que j'aie pu le retenir, il jaillit du bois. Un repli du terrain le déroba rapidement à mes yeux. J'entendis des tirs de mousquet, des ordres, des hennissements de chevaux... puis plus rien. Je me mordis les lèvres pour ne pas hurler de peur et de désespoir et je sanglotai de longues heures, prostrée dans le buisson où je m'étais terrée.

16

Tremblante, je ne bougeais point.

Je ne savais ce que je souhaitais le plus. Que les gardes me découvrent pour partager le sort de l'homme que j'aimais ou qu'ils ne me dénichent pas afin de pouvoir mener à bien la mission que Simon m'avait confiée ? Je me torturais l'esprit à imaginer ce qu'il lui était arrivé. Était-il mort sous les tirs de mousquet ? Était-il blessé et le tenait-on enfermé dans une infâme prison ? Et dans ce cas qu'allait-il advenir de lui ? Serait-il envoyé aux galères pour avoir osé enlever une demoiselle sous la tutelle du Roi ? Ou pire, serait-il condamné à mort pour crime de lèse-majesté ?

D'angoissantes minutes s'égrenèrent, mais personne ne surgit devant moi et je me calmai peu à peu.

Que devais-je faire ? Demeurer cachée ? Fuir ? Pour aller où ? Je grelottais, j'avais les pieds douloureux, les genoux écorchés et j'étais sale. Brusquement, une solution s'imposa à moi et je décidai de tenter le tout pour le tout. Je me levai, détendis mes jambes ankylosées et, saisissant le baluchon que Simon m'avait laissé, je me dirigeai vers la seule maison du lieu, celle du dénommé Gustave. Ma mine misérable allait servir mon plan. Il suffisait seulement que je ne tombe pas sur la garde avant d'atteindre la masure. Je priai en ce sens tout en avançant. Considérant sans doute que j'avais eu mon comptant de souffrance, Dieu m'exauça et j'arrivai devant le bâtiment sans encombre.

Je frappai à la porte. Une voix de femme m'ordonna d'entrer. Ce que je fis. Sans lui laisser le temps de me chasser, je débitai d'une voix tremblante :

— Veuillez me pardonner d'arriver ainsi chez vous, mais vous êtes mon seul secours... mon mari vient de mourir d'une fièvre tierce et le métayer m'a chassée... Je n'ai point de famille, aussi j'ai erré toute la nuit sans savoir où aller... Si vous aviez la grande bonté de me permettre de me réchauffer un peu...

D'un geste, elle me désigna la cheminée.

— Merci, madame, Dieu vous le rendra.

Je tendis mes mains rougies par le froid vers l'âtre où brûlaient quelques maigres branches. Petit à petit, la chaleur gagna mon corps et cela me procura une sorte de faiblesse qui me fit vaciller.

— Holà ! s'exclama mon hôtesse, voilà t'y pas que vous tombez en pâmoison.

Je m'assis sur le tabouret qu'elle avait approché de moi et je m'excusai :

— Je suis si fatiguée...

— Un bol de soupe vous remettra.

Sur une grossière étagère de bois, elle prit un bol en terre, plongea une louche dans le grand chaudron posé sur un trépied au-dessus du tas de braises du garde-manger et me tendit le breuvage chaud.

Je la remerciai. Je bus à même le bol le liquide chaud et odorant, mâchant avec application les herbes qui y flottaient. Cela me revigora.

— Rien de tel pour vous requinquer ! dit-elle en me souriant.

À cet instant, la porte s'ouvrit sur un petit homme trapu, le cheveu en bataille, vêtu d'une ample chemise informe et sans couleur. Il ne s'étonna pas de me voir.

— C'est une pauvresse chassée par un métayer, lui apprit sa femme avant d'ajouter : Et pour Jean-Jean ?

— Il est sauf. Il a repéré la chemise à la fenêtre et il s'est enfui à cheval.

Je me sentis mal tout à coup... N'étais-je pas venue me jeter dans la gueule du loup ?

— Et les gens qu'il devait faire passer ?

— Pas de nouvelles. J'ai entendu des tirs de mousquet, et c'est pas bon signe pour eux.

Mon sang s'était glacé et, malgré la chaleur du feu, je devais être aussi pâle qu'une morte d'autant que, depuis quelques secondes, l'homme me regardait bizarrement. Quelle idiote j'avais été de courir vers cette masure ! Le sacrifice de Simon n'aura servi à rien. Je ne retrouverais jamais sa mère et sa sœur et je finirais ma vie enfermée dans un couvent, rongée par le remords. Oh, comme je m'en voulais de ne point avoir écouté les conseils de Simon !

— Ne seriez-vous pas une des personnes que Jean-Jean devait guider en pays de Savoie ?

J'étais découverte. À quoi bon mentir ? Sans pouvoir professer une parole, j'opinai de la tête. J'aurais dû me lever, traverser la pièce, ouvrir la porte et courir aussi loin que mes jambes me le permettaient pour tenter de me sauver. Je n'en eus pas la force. J'attendis que mon sort se joue et que le paysan me conduise à la maréchaussée.

— Pauvre enfant, me plaignit la femme en posant une main compatissante sur mon épaule.

Surprise par ces paroles, je levai le visage vers elle.

— Toutes ces persécutions envers les huguenots, nous, on est contre ! et quand on peut aider l'un d'eux à franchir la frontière, on l'fait. Jean-Jean est un fameux passeur... cette nuit, il a pas eu de chance.

Le poids qui pesait sur ma poitrine s'allégea.

— Ainsi, Jean-Jean n'est pas un... traître.

— Que non ! Il y amasse un bon petit pécule, je vous l'accorde, mais il s'acquitte consciencieusement de sa tâche. Si vous étiez arrivés quelques minutes plus tôt, vous seriez en sécurité parmi ceux de vot' religion.

— Mais... je suis catholique.

Leurs yeux s'arrondirent de stupéfaction et l'homme bafouilla :

— Alors là... j'y comprends goutte... il vous aurait suffi de vous présenter au poste frontière...

— Ah, monsieur, c'est une si longue et si doulou-reuse histoire. J'étais élevée au frais de Sa Majesté dans la Maison Royale d'Éducation de Saint-Cyr, mais mon fiancé, un ancien huguenot converti de force au catholicisme, est venu m'enlever sans l'accord du Roi ni celui de mon père.

— Grand Dieu ! s'exclama l'homme, voilà bien une attitude irresponsable !

Je baissai la tête, consciente que cet homme ne pouvait comprendre l'amour qui nous liait Simon et moi. Sa femme m'adressa un sourire complice et me chuchota à l'oreille :

— Ah, quand l'amour nous tient !

Apparemment peu sensible à cet argument, son mari reprit :

— Ainsi donc, vous êtes poursuivie pour crime de lèse-majesté et Simon pour enlèvement et comme, de plus, il est récemment converti, je gage que la maréchaussée lui fera pas de cadeau.

— Ne pas savoir ce qu'il est advenu de lui m'est intolérable.

— Il faut prier Dieu qu'il ait réussi à s'échapper, me conseilla la femme.

— Enfin, y a un point positif dans cette triste affaire, c'est que vous n'êtes plus obligée de fuir en Suisse puisque vous êtes catholique !

— Si, monsieur. J'ai promis à Simon de retrouver sa mère et sa sœur qui s'y sont réfugiées. N'ayant aucune nouvelle d'elles, le père de Simon en a conçu une telle douleur qu'il est dangereusement malade. Il est de mon devoir de chercher à en obtenir.

— Ah, j'aimerions ben avoir une bru comme vous ! s'enthousiasma la femme.

— T'as encore le temps, le Jacquot a que quatorze ans, et pour l'instant, il préfère piéger les lapins que les filles ! À c't'heure, il doit relever ses collets et il va pas tarder à revenir avec une belle prise !

Comme si son fils l'avait entendu, la porte s'ouvrit sur un garçon, un chapeau cabossé sur la tête. À ma vue, il cacha prestement un lapin qu'il tenait par les oreilles sous une cape noire déchirée et sale.

— Tiens, qu'est-ce que je disais ! lança son père, de la fierté dans la voix.

Comprenant qu'il n'avait rien à craindre de moi, le garçon déposa la bête sur un coin de la cheminée, ôta son chapeau, qui dévoila des cheveux filasse et un visage mince et gracieux. Contrairement à ce que prétendait son père, il ne me sembla pas que le regard qu'il portait sur moi était dépourvu d'intérêt. Au contraire, il était si insistant qu'il me força à baisser le mien.

— Cette demoiselle doit franchir la frontière, lui annonça sa mère. Tu vas donc laisser ta place, une fois de plus. Tu pourras aller à la pêche toute la journée.

— Et pourquoi c'est pas moi qui l'accompagne ? râla le gamin.

Son père lui donna une claque sur le sommet du crâne.

— Sois pas idiot, Jacquot ! Le passeport est à mon nom et tout le monde me connaît à trois lieues à la ronde !

— Dommage..., grogna-t-il.

Il resta à mon côté pendant que son père m'expliquait comment il envisageait de me faire franchir la frontière. À la fin de son récit, je me lamentai :

— Pour les cheveux... vous êtes sûr ?

— Si vous voulez mettre toutes les chances de notre côté... c'est indispensable, conclut l'homme.

— Soyez forte, m'exhorta sa femme.

— Je le serai.

17

Dans un placard creusé à même le mur, la femme alla quérir un coupe-choux qui devait servir à son mari pour se raser. Lorsqu'elle approcha de moi le terrible instrument, je me cachai le visage dans les mains. Je n'avais jamais coupé mes cheveux et les sacrifier revenait à renier mon enfance et ma féminité. Compatissante, la femme pria les hommes de quitter la pièce.

Lorsque nous fûmes seules, elle m'encouragea :

— Je vais essayer de n'en point trop couper.

— S'il vous plaît, murmurai-je d'une voix éteinte.

Je fermai les yeux et crispai les poings. Le crissement de la lame dans ma chevelure et le bruit mat des mèches tombant sur le sol étaient un supplice.

— Pour sûr... de si belles boucles rousses... c'est pitié de les supprimer, se désola tout de même la femme.

Je serrais les dents pour retenir les larmes qui menaçaient d'affaiblir ma volonté.

— La vie est pas facile tous les jours pour nous les petites gens... aussi si vous m'autorisez à les vendre... j'en tirerai un bon prix...

— Si vous le voulez...

Lorsque j'ouvris les yeux, un champ de cheveux morts m'entourait. Je portai les mains à ma nuque et je touchai ma peau. Un cri m'échappa tant ce contact m'était inhabituel. J'aurais voulu me voir dans un miroir. Il n'y en avait point. C'était sans doute mieux.

La femme ne me laissa pas le temps de m'attendrir sur mon sort. Elle m'apporta des habits de son fils, m'aida à me dévêtir et me fit passer des braies rapiécées et une vieille chemise. Puis elle me donna des sabots qu'elle fourra de paille et m'enfonça sur la tête un bonnet, après quoi elle se recula de quelques pas.

— Eh ben, v'là un garçon tout à fait présentable !

Porter des vêtements masculins me mit mal à l'aise et puis cela m'ennuyait de prendre à ces pauvres gens le peu qu'ils avaient. Je m'en excusai.

— Oh, ce sont des vieilles frusques, se défendit la femme, mais pour les sabots, il est vrai que... pourtant vos petits souliers vous feraient immédiatement repérer. En guise de dédommagement, je veux bien garder vos vêtements en plus de vos cheveux.

Je lui tendis le baluchon renfermant mes effets, mais gardai le jupon dans lequel j'avais glissé le peu de pièces qui me seraient indispensables pour mon voyage en Suisse. Elle ne fit aucune difficulté, me conseillant même d'attacher le jupon autour de ma taille et de serrer le tout dans la ceinture des braies.

On toqua discrètement à la porte. Gustave et son fils entrèrent pour juger de ma transformation. Le premier m'observa un instant.

— Bon... bon... ça ira... Vous enfoncerez le bonnet jusqu'à vos yeux et vous tiendrez la tête baissée.

Mais le second se lamenta :

— Vous r'semblez à un garçon, c'est ben dommage... et ben lamentable pour vos ch'veux.

Il se baissa discrètement et ramassa une boucle rousse qu'il cacha au creux de sa main. Ne voulant pas paraître trop puérile, je n'avais pas osé ce geste moi-même. Bêtement, cela me troubla de savoir que ce garçon allait garder une partie de moi. Cette mèche aurait dû revenir à Simon... Simon, où était-il à présent ? Était-il seulement en vie ? Les larmes que j'avais retenues à grand-peine cascadèrent sur mes joues. Quitter le lieu où Simon avait disparu était au-dessus de mes forces. Je me disais qu'en partant, je perdais le moyen de savoir ce qu'il était devenu et donc l'espoir de le revoir un jour.

Se méprenant sur la raison de mon chagrin, la femme rabroua son fils :

— N'attriste pas cette demoiselle. Et puis que diable, les cheveux, ça repousse !

— Je... je ne peux pas partir... sans connaître ce qu'il est advenu de mon fiancé..., balbutiai-je.

— Ma pauvre demoiselle, chercher à le savoir est beaucoup trop dangereux, m'expliqua la femme.

— Dame ! comme notre maison est proche de la frontière, les gens d'armes nous ont à l'œil ! Ils viennent souvent s'assurer que nous ne cachons pas de huguenots. Nous leur avons toujours laissé croire que nous détestions ceux de cette religion... mais on n'est jamais trop prudent ! Jacquot, apporte tes truites ! lança-t-il à l'intention de son fils.

N'obtenant pas de réponse, il grogna :

— Où est-il passé ? Jamais là quand on a besoin de lui. Il s'rait retourné poser ses collets, ça m'étonnerait pas.

— Non, son matériel est là... Il est peut-être allé chaparder un peu de bois sur les terres de monsieur le comte, on n'en a plus guère. Celui-là, à force de défier les lois en braconnant et en volant du bois, il va finir par se faire prendre !

Son mari haussa les épaules comme pour chasser la menace pesant sur son fils.

— Bon, le mieux est d'attendre l'ouverture du marché, il y aura foule et les contrôles seront plus rapides.

Nous attendîmes donc. Aucun sujet de conversation ne me vint à l'esprit pour rompre le silence et nous restâmes chacun avec nos pensées. Les miennes étaient toutes tournées vers Simon dont j'allais définitivement perdre la trace en quittant cet endroit.

— C'est le moment, marmonna soudain l'homme en se levant du tabouret où il semblait s'être assoupi.

Je me levai à mon tour, la mort dans l'âme.

— Tiens, voilà les truites, lui dit sa femme. Il y en a douze... ça me fait regret de ne pas les manger, mais c'est pour la bonne cause.

— Oh, le Jacquot est habile et malin, il en pêchera d'autres...

Tout à coup, des bruits de pas me firent dresser l'oreille et les battements de mon cœur s'accélérèrent. N'était-ce pas les gens d'armes qui venaient me saisir ? D'un coup d'œil circulaire, je cherchai un coin pour me cacher. La porte s'ouvrit. Jacquot se découpa dans la lumière. Soulagée, je lui souris. Son père l'accueillit froidement :

— Où tu étais passé ?

Ignorant la question, il s'approcha de moi.

— J'ai des nouvelles de vot' fiancé.

Je poussai un cri en portant une main à ma gorge tandis que son père le foudroyait d'un regard coléreux.

— Il n'est point mort, seulement blessé à la jambe. Il a été arrêté.

La pièce se mit à tournoyer, mais je bandai mes forces pour ne point faiblir... car une partie de la nouvelle était bonne : Simon était vivant !

— J'ai réussi à apprendre qu'il serait emprisonné à Lyon.

Et tandis que je murmurais un « merci », son père le saisit par le bras et le gronda sévèrement :

— Te rends-tu compte que ta bêtise va attirer l'attention des gardes sur nous ?

— Heu... mais la demoiselle était si malheureuse... que...

— Mêle-toi de tes affaires ! hurla son père. Y a pas si longtemps encore, tu tétais le lait de ta mère, et maintenant tu joues les chevaliers !

Je n'osai pas m'interposer, mais je posai une main sur le bras du garçon pour lui signifier que son geste m'avait touchée. Je me sentis un peu mieux et le courage me revint. Je devais maintenant accomplir la mission que Simon m'avait confiée mais je savais qu'ensuite une seconde tâche m'attendait : le faire sortir de prison.

— Bonne chance, me souffla Jacquot si près de l'oreille que je crus qu'il allait m'embrasser.

Il m'aida à m'installer sur la charrette à côté de son père. Sa mère m'adressa un signe de la main. Gustave cria : « Hue ! » et la charrette s'ébranla.

Dès que nous eûmes franchi quelques arpents, je regardai avec insistance le pré où Simon s'était élancé pour me protéger comme si l'herbe avait gardé des traces du drame qu'il avait vécu.

Nous cheminâmes sans parler jusqu'à ce que le pont de Beauvoisin fût en vue.

— Baissez bien la tête, me conseilla Gustave, et si l'on vous questionne, ne répondez qu'en grognant.

Deux gardes nous arrêtèrent d'un geste du bras.

— Oh ! Gustave ! Où que tu vas ce matin ? demanda le plus vieux.

— Ah, ben le bonjour Isidore ! Je m'en vas au couvent des Carmes offrir quelques belles truites aux pères pour qu'ils prient pour notre salut.

Isidore s'approcha de la charrette.

— T'en as une pour moi ?

— Sûr. Et une pour ton compère, répondit Gustave en tendant les poissons discrètement roulés dans un bout de toile grossière.

Isidore les fit prestement disparaître sous sa cape et me lança :

— D'après ce que m'a dit ton père un jour, c'est toi le meilleur pêcheur à la main de la région !

Emmitouflée dans la cape dont Gustave m'avait recouverte, je grognai :

— Hon, hon.

— L'est pas bavard ton fiston, ce jour d'hui.

— Il est de mauvais poil. J'vas le faire engager comme apprenti cuisinier et il juge les casseroles moins accortes que les truites.

Le vieux garde éclata de rire. Après un coup d'œil rapide sur le laissez-passer, il dit :

— Demande aux frères de prier pour ma femme. La pauvre est bien malade et, à part Dieu, je vois pas qui pourrait la sauver.

Je souhaitais que la conversation ne s'éternise pas car j'étais si angoissée que je craignais que le tremblement de mes membres ne me trahisse.

— J'ferai la commission. Allez, Isidore, à la revoyure !

Gustave claqua de la langue et le cheval et la carriole s'ébranlèrent.

De l'autre côté du pont, la garde savoyarde nous barra le chemin à son tour. Gustave distribua encore deux truites, paya le péage, et nous pénétrâmes enfin en pays de Savoie.

Je respirai mieux.

Bientôt, la masse imposante du couvent des Carmes se dressa sur notre gauche. Gustave arrêta la charrette et sauta sur le sol après m'avoir recommandé de l'attendre sans bouger. Il frappa à la lourde porte de bois cloutée. Le frère portier vint s'entretenir du but de sa visite, puis lui ouvrit et Gustave disparut à l'intérieur.

Seule dans la charrette, la panique me saisit.

Autour de moi, les gens allaient et venaient. Un vitrier s'époumonait : « Oh, vitrier ! », deux lavandières revenaient de la rivière, leur panier de linge dégoulinant sous le bras, un marchand d'oublies[1] appelait le chaland, des gamins couraient, des couples marchaient d'un pas rapide vers la chaleur de leur logis et je me dis que parmi eux quelqu'un allait s'apercevoir que j'étais une demoiselle déguisée, en exiger la raison et prévenir la police. Je me recroquevillai sur le siège.

---

1. Marchand d'oublies : marchand ambulant de pâtisseries.

Mon attente fut heureusement de courte durée. Gustave reparut et m'annonça :

— Je vais vous conduire chez un bûcheron de mes amis. Il connaît les chemins jusqu'à Genève.

À la sortie du bourg, Gustave arrêta une nouvelle fois son attelage et m'aida à en descendre. J'étais frigorifiée et je ne sentais plus mes pieds nus dans la paille des sabots. Une sorte de géant hirsute sortit sur le seuil d'une masure. Gustave fronça les sourcils.

— Ce n'est point Léon. C'estui, je le connais point.

— Qu'est-ce qui vous amène ? nous lança le géant.

— J'venais saluer mon ami Léon.

— Il est parti voilà trois jours pour faire une coupe plus au sud. Nous sommes cousins, et il m'héberge quelque temps.

Gustave souleva son chapeau et se gratta la tête. Visiblement, il ne savait que faire de moi et il devait commencer à me juger encombrante, ce que je concevais parfaitement.

— Si je peux vous rendre service, continua le géant en ébauchant un sourire qui dévoila une bouche où ne demeuraient que deux énormes chicots noirâtres. Entrez donc vous réchauffer.

— Ma foi, c'est pas de refus, approuva Gustave.

La pièce où nous pénétrâmes était sombre et basse. Un feu brûlait dans la cheminée. Le géant m'ignora. Il offrit un gobelet de vin à Gustave et ils se mirent à parler dans la langue du pays. À moi, il ne proposa pas à boire. Je m'approchai des flammes pour me réchauffer.

Au bout de quelques minutes, Gustave me dit :

— Voilà, l'affaire est conclue. Pour quarante livres[1] le sieur Lelong vous conduira jusqu'à Genève.

J'écarquillai les yeux, surprise que la négociation se soit faite sans moi... Mais dans le fond, qu'aurais-je dit ? Que cet homme ne me plaisait pas ? Qu'il me semblait moins sûr que Gustave ? Qu'il me faisait peur ? Ce n'était assurément pas chose aisée à prononcer devant l'intéressé. Et puis, même s'il avait un aspect repoussant, rien ne me permettait d'assurer qu'il ne ferait pas correctement le travail pour lequel j'allais le payer assez grassement et je me forçai à répondre d'une voix agréable :

— Je vous sais gré, monsieur, d'accepter de me prendre en charge.

— Vingt livres tout de suite, le reste devant les portes de Genève, marmonna-t-il.

Les pièces étaient dans le jupon enroulé autour de ma taille. Il me déplaisait d'en montrer la cachette à Lelong.

1. Le salaire moyen d'un ouvrier est alors de vingt livres.

Je me tournai vers la cheminée, soulevai un pan de ma chemise, dénouai le jupon et, avec les dents, j'arrachai les fils retenant les pièces dans les plis du tissu. Je les comptai et me retournai pour les lui remettre. Il les empocha sans un mot.

Comme je supportais difficilement les habits masculins et puisque je n'avais plus rien à craindre de la police en pays de Savoie, je lui demandai s'il était possible d'acheter chez un fripier de Beauvoisin une tenue féminine.

— Ventrebleu ! s'exclama le géant, acheter des frusques si près de la frontière, alors qu'il y a des espions partout pour traquer le huguenot ! Vous voulez donc me faire pendre ! Ah, les femelles ne pensent qu'à leurs fanfreluches quand nous risquons la mort pour les sauver.

Sa diatribe me déplut. Elle était insultante. Pourtant Gustave baissa la tête et ne prit pas ma défense.

À cet instant, je compris que le voyage jusqu'à Genève ne serait pas des plus plaisant.

18

Gustave partit après m'avoir souhaité bonne chance.

J'étais si pessimiste à l'idée de voyager seule avec ce géant qu'il me parut que ce souhait n'était pas inutile.

Quelques minutes plus tard, le sieur Lelong me tendit, sans un mot, un bol d'eau bouillante dans lequel flottaient des herbes. Pour l'amadouer, je le remerciai aussi chaleureusement que s'il m'avait offert un chapon rôti. Il n'eut pas l'air de m'entendre.

Lorsqu'il eut avalé avec force bruits de bouche sa soupe et plusieurs gobelets de vin, il me désigna, entre la cheminée et le mur, un châlit recouvert d'une paillasse. Inquiète, je constatai qu'il n'y avait pas d'autre lit dans la pièce. Où allait-il dormir ? Afin de lui prouver ma bonne volonté, je m'allongeai mais ne fermai pas les yeux. Cet homme ne m'inspirait pas confiance et j'avais peur qu'il me volât mon argent ou, pire, qu'il attentât à ma vertu. Un instant, je fus tentée de fuir... mais outre que je ne savais pas où aller, que je pouvais, par mégarde, regagner le sol français sans même m'en rendre compte, je me dis qu'en trois ou quatre enjambées il me rattraperait, m'assommerait et me dévaliserait, me laissant mourir dans la forêt. Pour me donner du courage, je pensai à Simon, à ce qu'il avait subi pour me protéger et des larmes silencieuses coulèrent sur mes joues...

Je dus m'assoupir quelques minutes car le bruit d'un tabouret que l'on renverse me fit sursauter. Le géant se leva et s'approcha de ma couche. Je me raidis. Prête à le repousser de toutes mes forces, à hurler, à le mordre avant, je le savais, de subir tous les outrages. Les yeux grands ouverts, je le fixai, priant qu'un miracle s'accomplisse.

Le sieur Lelong maugréa des paroles inintelligibles qui propulsèrent jusqu'à moi son haleine avinée. Il était saoul et tenait à peine debout. En s'appuyant le long du mur, il se dirigea vers une porte basse qu'il ouvrit et il disparut. J'entendis hennir un cheval, puis la chute d'un corps sur de la paille et enfin un ronflement sonore.

Morte de fatigue et de peur, je m'endormis malgré moi car c'est le contact d'une main puissante sur mon épaule qui me réveilla.

Aussitôt, je m'assurai que ma chemise n'était point retroussée, je tirai le bas de mes braies sur mes pieds nus et je me dressai sur mon séant.

La porte était ouverte sur l'extérieur et un cheval nous attendait.

— Le chemin est long, grogna-t-il en se dirigeant vers sa bête, faut pas se mettre en retard.

Je chaussai mes sabots, enfonçai mon bonnet pour cacher le désordre de mes cheveux courts. Sans prendre le temps de me rafraîchir le visage et la bouche comme nous avions coutume de le faire à Saint-Cyr, je sortis et il tira la porte derrière moi.

Il me fit monter sur l'animal trapu, vieux, pelé, qui me parut plus à même de tracter une charrue que de trotter allégrement sur les chemins. Il grimpa devant moi. Je me raidis, essayant que mon corps ne touchât pas le sien.

Nous chevauchâmes tout le jour. Nous descendions de notre monture juste quelques minutes pour qu'elle bût et qu'elle broutât l'herbe des talus. Pour nous, rien.

À ce rythme, nous progressions bien. Certes, Trompette n'avait pas la grâce des chevaux des gentilshommes de la Cour, mais il était diablement résistant et supportait sans peine notre poids.

J'ignore combien de lieues nous parcourûmes, et dans quel village nous nous arrêtâmes à la nuit tombée, car le géant et moi n'échangeâmes pas trois mots. Cependant, avant d'arriver au gîte, il me fit mettre pied à terre et m'avertit que dorénavant je devrais lui parler respectueusement. En effet, pour garder le mystère de notre situation, il avait décidé que j'étais son valet et que je m'appelais Jeannot. Il m'ordonna donc d'un ton sec de mener le cheval à l'écurie. Je le fis, puis j'entrai à mon tour dans la cuisine. Une jeune servante, houspillée par sa patronne, s'affairait à servir les clients.

— Hou là ! T'es bien pâlot et ta voix est bien fluette... tu serais pas malade au moins ? s'inquiéta l'hôtesse lorsqu'elle me vit.

— Il a pris le mauvais vent, assura mon maître. Après une bonne nuit de sommeil, il n'y paraîtra plus.

Puis il s'adressa à moi :

— Allez, Jeannot, file dormir à l'écurie, la paille te fera une couche moelleuse !

Ce bon mot le fit rire aux éclats. Je le foudroyai du regard car il oubliait volontairement de me nourrir et mon estomac criait famine. J'allais le lui faire remarquer mais je me retins. Passer la nuit à l'écurie, cela signifiait ne pas être dans la même pièce que lui et pouvoir dormir tout mon content... et comme l'assure le proverbe, qui dort dîne... je ne perdais point trop à ce marché.

J'étais prête à m'endormir dans la chaleur agréable de l'écurie et la mauvaise odeur des bêtes lorsque la jeune servante vint me rejoindre et me chuchota d'une voix engageante :

— Vrai, vous me plaisez ! Et pourtant, j'en ai connu des valets ! des grands, des gros, des maigres... mais vous... vous paraissez avoir des manières tout à fait convenables !

La servante me faisait des avances ! Il ne manquait plus que cela ! Comment l'éloigner sans me trahir ? Naïvement, je lui répondis :

— C'est que, voyez-vous, ma promise m'attend et je...

Elle éclata de rire :

— Et vous me refuseriez un petit bécot et quelques caresses ?

Elle commençait à délacer son bustier et à se coller à moi... J'éternuai violemment. Une chance ! Elle s'éloigna aussitôt, mécontente.

— C'est y vrai que vous seriez malade ?

— Si fait..., ajoutai-je précipitamment en toussant avec force. J'ai une fièvre tierce depuis deux jours... peut-être la petite vérole.

Elle se releva vitement.

— Dommage. Pour une fois que je dégotais un galant à mon goût... Je vous apporte du pain et un cruchon de vin. La nourriture vous aidera à supporter la fièvre.

Elle revint bientôt me donner ce qu'elle m'avait promis. Je dévorai le pain et bus une gorgée de vin, après quoi, épuisée et rassasiée, je m'assoupis.

Le lendemain, nous partîmes avant le jour et par le plus mauvais temps du monde. Mon maître m'insulta copieusement, affirmant haut et fort que j'étais paresseux. Je pensais que c'était pour mieux cacher ma véritable identité, mais je m'aperçus bientôt qu'il y entrait beaucoup de naturel car il me traitait de même quand il n'y avait personne et me menaçait pour la moindre chose de me livrer aux gardes.

Quelques jours plus tard, nous entrâmes dans un grand bois dont les routes étaient si difficiles qu'il n'y avait pas moyen d'y circuler à cheval. Mon maître jurait parce que je ne marchais point assez vite. Mais ce fut bien pis lorsqu'il fallut descendre la montagne. Il y avait de la glace, ce qui faisait que je tombai plusieurs fois sous les quolibets du sieur Lelong. Incommodée par ces chutes, et comme la pente était fort raide, je restai sur mon séant et me laissai couler de cette manière jusqu'au bas de la montagne. C'est la seule fois du voyage où j'entendis rire mon tortionnaire.

Un soir, après une journée particulièrement harassante où j'avais cru mourir d'épuisement, nous entrâmes dans une maison sise à la sortie d'un bourg du nom de Seyssel. C'était chez lui, et il avait prévu que nous nous y reposerions un jour ou deux avant qu'il me conduisît à Genève, de l'autre côté du fleuve. Il me désigna un grabat dans la chambre d'une femme qu'il me présenta comme la sienne. Il me donna un morceau de pain noir comme la suie et un bol de raves mal accommodées. Quand je voulus boire, la femme me donna de l'eau dans une écuelle sale et ébréchée. Je les entendais discuter à voix basse et je sentais que mon sort se jouait. Je voyais bien, par le peu de ménagement qu'on avait pour moi, que j'avais tout à craindre de ces gens, aussi me faisais-je du fort mauvais sang. La nuit, je veillai de peur qu'on ne m'occît pendant mon sommeil.

À l'aube du troisième jour, le sieur Lelong m'ordonna de me lever et me conduisit à l'autre bout de la ville. Il prétendit qu'il n'y avait aucune sûreté à franchir le pont et me fit entrer dans une petite barque pour traverser le Rhône. Ceux qui menaient la barque étaient ivres et manquèrent la faire chavirer. Comme je poussai un cri, mon maître menaça de me jeter par-dessus bord et se mit quasi en devoir de le faire. Je me débattis sans doute avec violence car il abandonna son projet.

Lorsque nous mîmes pied à terre de l'autre côté du Rhône, je rassemblai mes dernières forces et, profitant de l'effet de surprise, de la brume qui nimbait la rive et de la faible luminosité du jour levant, je partis en courant aussi vite que je le pus. J'entendis des cris derrière moi, un bruit de course... Mon maître allait me rattraper, m'assommer, me voler et me livrer à la maréchaussée.

Jamais je ne reverrais Simon.

Le sol était marécageux, les roseaux me giflaient et je m'enfonçais dans la vase jusqu'aux genoux. La rage au ventre, j'avançais. Tout à coup, j'aperçus une petite cabane de joncs à demi cachée dans la végétation touffue du marais. J'y pénétrai. Il y avait juste la place pour une personne. Le sol était protégé de la fange par une épaisseur de branchages sur lesquels je m'accroupis.

Je grelottais et me mordais les lèvres pour m'empêcher de claquer des dents.

À chaque seconde, je m'attendais à voir surgir le sieur Lelong. Je savais que je ne le supplierais pas de m'épargner. Il m'avait déjà par trop humiliée. Je mourrais en priant pour la libération de Simon.

Personne ne me découvrit.

Immobile, je laissai passer une éternité de minutes. Pourtant, sans moyen de me réchauffer, j'allais mourir de froid après avoir échappé à la mort par assassinat...

Aussi, prudemment, je quittai mon abri, puis j'essayai de m'orienter. Une église sonna mâtines. Je cherchai le clocher parmi les nuages bas. J'en aperçus la flèche à main droite et je m'y dirigeai. La maison de Dieu était un refuge sûr.

Haletante, je progressai tantôt en courant, tantôt à demi courbée pour mieux me cacher. Enfin, je traversai une petite place encore déserte à cette heure matinale et je pénétrai dans l'église par une porte latérale.

Sauvée !

19

Le calme du sanctuaire m'enveloppa.

Un instant, il me sembla que j'étais à Saint-Cyr avec Isabeau, Charlotte et Louise et que notre chant allait s'élever vers l'autel. Ah, que notre insouciance était loin ! Il me parut qu'il y avait un siècle que j'avais quitté notre maison et que j'avais vieilli d'autant.

À la fin de l'office, je me rendis à la sacristie où le prêtre ôtait sa chasuble. Je m'agenouillai devant lui, tête baissée.

— Bénissez-moi, mon père.

— Ne sais-tu pas, méchant drôle, que l'on doit quitter son bonnet en entrant dans un lieu saint !

J'avais gardé mon bonnet et, comme je portais culotte, il me prenait pour un garçon. Je me découvris précipitamment.

— Seigneur, une fille ! s'exclama-t-il en voyant ma chevelure rousse sale et mal taillée mais que l'humidité avait transformée en un casque de boucles m'encadrant le visage.

Je crus un instant qu'il allait me chasser, me traiter de sorcière pour avoir voulu m'approprier un sexe qui n'était pas le mien. Il lut sans doute ma détresse dans mes yeux car il s'adoucit et me releva d'une main.

— Ma pauvre enfant, que vous est-il donc arrivé ? Vous n'êtes pas de notre paroisse ?

— Non, mon père... je viens de fort loin...

Un moment de panique fit trembler ma voix. Je ne pouvais mentir à un prêtre, mais lui dire la vérité était trop risqué. J'escamotai donc la première partie de mon aventure pour n'en livrer que la seconde.

— ... du Vivarais. J'accompagnais un maître cruel à Genève.

— Un huguenot ?

— Je l'ignore. Il me battait et ne me nourrissait pas. J'ai profité du passage du Rhône pour lui échapper.

— Pourquoi donc vous a-t-il vêtue en garçon ?

— Je ne peux vous le révéler, mon père...

— Avait-il des mœurs à l'italienne[1] ? s'offusqua le prêtre.

Je rougis sans le désavouer, ce qui m'évita un mensonge.

— Venez, mon enfant, vous allez vous changer, vous réchauffer et vous restaurer.

Je le remerciai, heureuse que quelqu'un s'occupât enfin de moi.

Il me conduisit à la cure, attenante à l'église. Dès qu'il eut refermé la porte, il appela Marie, sa servante, une vieille femme toute en rondeurs.

— Prépare un baquet d'eau chaude pour cette demoiselle et déniche-lui une tenue plus décente pour son sexe.

Une heure plus tard, je trempais avec délices dans une eau chaude à souhait qui m'ôta la crasse de plusieurs semaines de voyage. Au sortir du baquet, la vieille femme m'enveloppa dans un drap tiède et entreprit de me démêler les cheveux. Elle était affable et ne me posa aucune question embarrassante. Elle m'apporta ensuite un jupon rapiécé et des bas de grosse laine, une jupe et un justaucorps de toile noire sans broderie ni dentelle aucune, un châle à peine ouvragé et un petit bonnet de lin

1. Se disait au XVIIe siècle de la pédérastie.

blanc. Je supposai qu'il s'agissait du costume des femmes de cette province et probablement du sien.

Elle m'aida à me vêtir, mais j'étais si menue qu'il fallut froncer beaucoup le lien du jupon et celui de la jupe pour ne point que je les perde. Ce trop-plein d'étoffe autour de ma taille me faisait ressembler à une matrone, ce qui déclencha mon fou rire. Il y avait si longtemps que je n'avais point ri que je ne pouvais plus m'arrêter. Mon rire se communiqua à mon hôtesse, ce qui eut pour résultat de lui délier la langue.

— Si c'est pas malheureux d'être si maigre !

— C'est qu'il y a plus de dix jours que je n'ai point fait un repas digne de ce nom et à tant marcher la chair fond.

Un nouvel éclat de rire la secoua lorsqu'elle laça le bustier.

— Dame, votre gorge et la mienne ne sont point du même modèle ! Et le nid est bien vide au creux de l'étoffe.

Effectivement, le tissu bâillait fort désagréablement sur ma gorge menue.

— Nous emplirons le haut de votre justaucorps de crin, me suggéra-t-elle.

Enfin, elle posa sur mes cheveux un curieux petit bonnet de dentelle et croisa sur mes épaules le fichu, puis elle se recula de quelques pas.

— Vous êtes ravissante.

Je ne la crus pas. Les cheveux courts, la peau gâtée par les intempéries et attifée comme une paysanne, j'étais sans doute affreuse, mais elle était si gentille et j'avais tant besoin de douceur que j'acceptai son compliment sans polémiquer.

Elle m'aida à découdre les pièces cachées dans mon jupon et je les mis dans une petite bourse de toile accrochée à ma jupe. Comme je m'inquiétais de la délester de ses vêtements, elle professa :

— Saint Martin a partagé son manteau avec le Christ. La charité veut que je vous offre ce que vous n'avez point.

J'avais à faire à une sainte femme et je la remerciai chaleureusement.

L'heure du dîner n'était pas loin et le curé entra bientôt dans la cuisine où nous nous tenions.

— Ah, voilà qui est mieux ! s'exclama-t-il en apercevant ma transformation.

Après avoir récité avec le curé et sa servante un fervent bénédicité, je mangeai le pain trempé dans le lait, puis les œufs brouillés, tout en m'efforçant de ne pas engloutir la nourriture trop voracement. Le curé, qui m'observait sans doute depuis un moment sans que je le remarque, me lança tout à trac :

— Vous n'avez point les manières d'une paysanne.

— C'est ce que je me disais aussi, renchérit Marie.

— C'est que... j'ai été élevée dans un couvent... mais des revers de fortune m'ont obligée à le quitter et à... à...

— Ne vous justifiez pas, mon enfant. Vous savez vos prières, vous êtes une bonne catholique et le reste ne me regarde point.

Nous terminâmes le repas en silence. Après quoi, le prêtre me proposa de me reposer quelques jours avant de repartir chez moi en Vivarais. Mais j'avais déjà perdu trop de temps et il me tardait de remplir ma mission.

— Je ne voudrais pas abuser de votre hospitalité et puis j'ai hâte de revoir les miens.

— Je vous comprends. Pour ce jour d'hui, il est trop tard, mais demain matin sur les huit heures, il y a une diligence pour Lyon.

Je cachai le mieux possible mon trouble. Je n'avais point du tout l'intention de rebrousser chemin jusqu'à Lyon. Au contraire, j'espérais trouver une diligence en partance pour Genève.

Je passai une excellente nuit dans un bon lit, enfouie sous un gros édredon de plumes. Par habitude, je me réveillai à six heures, je m'habillai et descendis dans la cuisine où Marie s'activait à préparer une soupe.

— Monsieur le curé est à l'église pour la première messe, m'annonça-t-elle.

— Je vais y assister.

Avant de quitter la pièce, je l'embrassai. Sa charité, sa gentillesse, sa bonhomie m'avaient réconfortée.

— Holà ! s'étonna-t-elle, vous ne partez que pour la messe et nous nous reverrons puisque monsieur le curé veut que je vous accompagne à la diligence.

Je savais, moi, que nous ne nous reverrions pas.

Lorsque j'eus refermé la porte derrière moi, je n'entrai pas dans l'église proche, mais marchai à pas rapides vers la place du village où je supposais être le rassemblement des diligences. Le jour n'était point encore levé, mais il y avait déjà du mouvement autour des voitures et des chevaux.

Avisant un cocher, son chapeau sur la tête, en train de vérifier les attelages, je le questionnai :

— Allez-vous à Genève ?

— Oui da. Vous êtes huguenote ?

— Non point, catholique, affirmai-je en lui montrant mon sauf-conduit.

— Et qu'allez-vous donc faire dans ce repaire de calvinistes ?

— Rendre visite à des amis.

— Vous avez de quoi payer les dix livres du voyage ?

Je sortis les pièces de mon réticule.

— Vous n'avez point de bagages ?

— Non.

— Installez-vous. J'attends d'autres passagers. Nous partirons lorsque nous serons au complet.

Je montai dans la voiture en priant pour que la messe ne finît pas avant notre départ afin que le prêtre et sa servante ne s'aperçussent pas immédiatement que je leur avais faussé compagnie, ce dont je n'étais point fière.

20

Après toutes les péripéties qui avaient émaillé mon voyage, je fus très étonnée d'arriver aux portes de Genève sans encombre. Les passagers de la diligence avaient été si discrets (sans doute y avait-il parmi eux des huguenots fuyant les persécutions que leur infligeait la France) que nous n'avions pas échangé trois mots. Cela me convenait.

Nous traversâmes la plaine de Plain et la diligence s'arrêta sur une place juste après avoir franchi la porte fermant la ville. J'en descendis, saluai brièvement les passagers affairés à récupérer leurs bagages et je pris une rue au hasard, comptant sur la providence pour guider mes pas. Je me rendis rapidement compte qu'en allant ainsi de droite et de gauche, il me faudrait une grande chance pour que je tombasse sur la rue Guillaume-Farel et que je perdais du temps et des forces à arpenter les rues sans savoir laquelle était la bonne. Pourtant, accoster quelqu'un pour le questionner me parut de la plus haute impolitesse et je ne m'y résolus qu'après avoir tourné plus d'une heure dans la ville. Je choisis un couple d'âge mûr sortant de son logis. L'homme me répondit d'une voix traînante et avec un curieux accent :

— Vous n'êtes pas loin. Montez les Degrés-de-Poule[1] à main droite et vous tomberez dessus.

J'empruntai donc cet étrange souterrain avec un peu d'appréhension. Je n'avais jamais rien vu de tel, mais l'escalier me conduisit à l'air libre dans la rue Guillaume-Farel. Là, abritée du froid par une guérite de bois, une marchande proposait aux badauds des petits sachets de plantes médicinales. Je lui demandai où était située la maison du sieur Musard. Elle leva le doigt. J'étais devant. Je poussai un soupir de soulagement tant il me sembla que j'étais proche de tenir ma promesse.

Je soulevai plusieurs fois le heurtoir de bronze, qui retomba sur la lourde porte de chêne

1. Le passage des Degrés-de-Poule à Genève est une montée de marches couverte.

en produisant un son mat. Une jeune servante m'ouvrit. Je lui signalai que je venais de la part de M. de Lestrange. Elle me fit entrer dans une pièce basse dont les fenêtres donnaient sur la rue.

— Je vais prévenir Monsieur, lâcha-t-elle avant de disparaître.

Quelques instants plus tard, un homme d'une cinquantaine d'années, le cheveu rare et blanc, sobrement vêtu, se présenta à moi.

— Ainsi, vous venez de la part de M. de Lestrange ?

Je sentis de la suspicion dans sa voix et je lui expliquai.

— Je suis fiancée à son fils Simon. M. de Lestrange est alité et ne peut se déplacer.

— Dois-je en conclure que vous êtes catholique et que Simon vous épouse afin de se conforter dans cette religion et d'être mieux en vue à la cour ? s'enquit-il d'un ton pincé.

— Il est vrai que je suis catholique, mais vous prêtez à Simon des intentions qui ne sont pas les siennes. J'ai la faiblesse de croire que de nobles sentiments nous lient.

— Et ne viendriez-vous pas jusqu'ici pour tenter de convertir Mme et Mlle de Lestrange à la religion catholique ?

Cet homme m'agaçait, mais je devais contenir la colère qui montait en moi si je voulais avoir une chance d'obtenir des renseignements. Je lui répondis assez sèchement :

— Non point, monsieur. Pour moi chacun est libre de mener la religion qui lui convient et je respecte les protestants autant que les catholiques.

Il me dévisagea, comme s'il cherchait à lire sur mon visage si je disais la vérité.

— Ah, nous souffrons tous de grands maux ! se lamenta-t-il.

Un lourd silence s'installa entre nous. Ce n'était point à moi de le rompre et je priai mentalement pour qu'il ne me chassât pas sans m'avoir renseignée.

Soudain, il s'étonna :

— Simon n'est point avec vous ?

Je ne l'avais donc toujours pas convaincu de ma bonne foi et je bredouillai :

— Il... il a été arrêté au pont de Beauvoisin et m'a supplié de retrouver sa mère et sa sœur.

— Il est pourtant catholique et vous l'êtes aussi.

— Certes... mais...

Je me troublai. Si je lui avouais que Simon m'avait enlevée de la Maison Royale d'Éducation et que c'est cet acte irraisonné qui avait justifié son arrestation, je me fermais définitivement les portes de la maison de cet homme si rigoureux.

— Il avait égaré ses papiers et... il a été pris pour un huguenot et s'est laissé arrêter pour que je puisse mener à bien ma mission.

— Dieu, quelle époque !

Il se dirigea vers une clochette de porcelaine pour appeler un domestique et ajouta :

— Voulez-vous un verre de liqueur pour vous remettre de votre voyage ?

— Un verre d'eau me suffira.

Dès qu'il eut fini d'agiter sa clochette, je m'enquis :

— Pouvez-vous me donner des nouvelles des dames que je recherche ?

À nouveau, il se referma et répliqua sèchement :

— Hélas ! je n'en ai point depuis longtemps.

— N'était-ce pas vous qui deviez les héberger ?

— Certes. Je les ai accueillies avec grand plaisir lorsqu'elles sont arrivées à Genève avec, je dois le dire, un bien petit bagage et bien peu d'argent aussi.

— Et... elles n'y sont plus ?

Il y eut un nouveau silence... comme si M. Musard réfléchissait à la meilleure façon de m'annoncer la suite. Il poussa un énorme soupir que je jugeai exagéré et reprit :

— Non. Ma maison n'est pas grande et peu de temps après l'installation de ces dames, mon cousin

Ernest, sa femme et ses trois enfants, tous huguenots, me demandèrent l'hospitalité, puis se présentèrent sans que je sois prévenu mon frère Louis et ses deux filles. J'hébergeais déjà ma vieille mère et une tante impotente... C'est Mme de Lestrange elle-même qui m'a proposé de laisser la chambre qu'elle occupait.

— Je comprends.

Il parut soulagé.

— Croyez bien que j'ai été désolé de ne pouvoir faire plus... Je leur ai donné l'adresse d'une connaissance à Zurich, le sieur Constantin, un huguenot français, émigré il y a fort longtemps... C'est là qu'elles doivent être en ce moment.

— Cependant, M. de Lestrange n'a reçu aucun courrier de son épouse.

— Ah, bon ? Mme de Lestrange a pourtant écrit. Mais pour peu qu'elle ait dit un mot dans une lettre qui ait pu paraître une critique à l'égard de Louis XIV, la police de France l'aura détruite. Toutes les lettres venant des huguenots exilés sont lues.

Il avait raison. Cela me redonna courage et me laissa à penser qu'Héloïse et sa mère étaient en bonne santé quelque part en Suisse mais que leurs lettres, interceptées, ne parvenaient pas en Vivarais.

— Le pauvre homme, compatit-il. Sûr que le chagrin doit le miner... Mais quelle déplorable idée d'avoir cédé aux injonctions des canailles du Roi et de s'être fait catholique ! C'est avec sa femme et sa fille qu'il devrait être, pour pratiquer ici sa religion en toute liberté !

Je compris que M. Musard ne pardonnait pas à M. de Lestrange d'avoir renié sa religion.

À ce moment-là, une petite soubrette vint annoncer que le repas était servi.

— Vous le partagerez bien avec nous ? me proposa M. Musard.

Je fus tentée un instant de refuser, mais la faim qui me tiraillait l'estomac fit que j'acceptai. Cependant, lorsque la soubrette m'aida à ôter ma cape, il me souvint brutalement que j'avais les cheveux d'un garçon. Avant d'entrer dans la salle à manger, j'arrangeai à la hâte ma coiffe de lin cachant le mieux possible les mèches courtes et rebelles sous l'étoffe.

M. Musard me présenta son épouse, le cousin Ernest et sa femme, son fils Louis, sa mère et un notaire de ses amis. La soubrette installa une assiette supplémentaire et commença le service. La chère fut bonne et abondante. Il y avait plusieurs jours que je n'avais pas aussi bien mangé.

On parla essentiellement des persécutions dont étaient victimes les pauvres huguenots, parés de toutes les vertus et qui devaient fuir leur pays pour ne pas tomber aux mains des abominables papistes[1].

J'étais horriblement gênée et j'évitai de me mêler à la conversation. Curieusement, M. Musard n'apprit pas à l'assemblée que j'étais catholique. Sans doute était-il mal venu dans ce milieu huguenot d'inviter une catholique à sa table. Il fit même mon éloge en affirmant :

— Mlle de Kermenet n'a pas hésité à franchir la frontière au péril de sa vie pour venir y chercher des nouvelles de la femme et de la sœur de son fiancé... vous savez, Mme de Lestrange et Héloïse que nous avons hébergées plusieurs semaines.

— Ah, on peut dire que ceux de notre religion sont courageux ! s'enthousiasma le notaire.

Mme Musard me demanda des détails sur mon voyage. J'en racontai quelques-uns et entre autres celui qui me coûta ma chevelure. Les dames poussèrent des cris horrifiés et firent mine de s'apercevoir à l'instant de ma curieuse coiffure. On me plaignit, on me félicita et, en peu de temps, je devins une héroïne huguenote.

Puisque le maître de maison n'avait pas jugé bon de divulguer ma religion, je ne le fis point non plus. Je compris que si en France il valait mieux

---

1. Papistes : terme injurieux pour désigner les catholiques.

cacher que l'on était protestant, de ce côté-ci de la frontière il était préférable d'être huguenot.

— Vous allez à Zurich, nous avez-vous dit. Je pars demain pour Berne et ce serait un honneur si vous acceptiez de voyager dans ma voiture, me proposa le notaire.

Là non plus, je ne refusai pas. J'avais eu mon content de difficultés et je n'avais plus la force d'en affronter d'autres.

Je le remerciai avec chaleur.

Il fut convenu que je dormirais dans la chambre des petits-enfants de M. Musard et que, dès le lendemain matin, M. Dunoyer, le notaire, passerait me prendre sur les neuf heures.

CHAPITRE

21

Le voyage ne fut pas désagréable.

Le notaire, qui devait avoir dans les quarante ans et qui était plutôt bien fait de sa personne, eut à cœur d'entretenir une conversation qui ne tourna pas autour de la religion. Avait-il perçu mon trouble la veille ? Nous parlâmes un peu de tout et il fut fort surpris lorsque je lui appris que j'aimais les pièces de M. Racine et la musique de M. Charpentier. Je regrettai aussitôt cette confidence qui m'avait échappé, tant je prenais plaisir à cette discussion. J'avais oublié que si j'avais été huguenote ma religion m'aurait interdit d'aller au théâtre ou dans tout lieu de divertissement. Je bredouillai un quelconque mensonge pour expliquer comment j'avais pu voir ces pièces et ouïr cette musique... puis ne sachant plus à quel saint me vouer, je lâchai :

— Je suis catholique.

Il éclata d'un rire sonore.

— Je vous félicite, demoiselle, d'avoir supporté toutes nos critiques avec tant de vaillance !

— Il le fallait bien.

— Votre sagesse vous honore. Nos souffrances nous font parfois perdre le bon sens et que vous soyez catholique n'enlève rien à votre mérite de vouloir retrouver la famille de votre fiancé.

Cet homme me parut effectivement avoir gardé son bon sens et je le suppliai :

— Puis-je compter sur votre discrétion ?

— Vous pouvez. Et sur mon amitié aussi.

Un peu avant d'arriver à Berne nous passâmes par des bois magnifiques. M. Dunoyer attira mon attention sur le tronc des arbres. Beaucoup avaient leur écorce gravée de chiffres et de lettres.

— Ne vous imaginez pas croiser ici Astrée et Céladon, les héros d'Honoré d'Urfé, mais les Suisses ont l'âme aussi sensible que les bergers et les bergères de ce roman[1].

---

1. L'*Astrée* d'Honoré d'Urfé est un roman qui connut un grand succès au XVIIe siècle. Le Forez abritait les amours de bergers qui gravaient les initiales de leurs bergères sur l'écorce des arbres. L'exemple le plus célèbre est celui d'Astrée et de Céladon.

Je ne m'attendais pas à ce qu'un peuple ayant une religion si austère fasse preuve de tant de galanterie.

En entrant dans la ville, M. Dunoyer me fit remarquer le géant Goliath qui figurait tout armé sur une porte, et un petit David qui se tenait en vis-à-vis sur une fontaine, la fronde à la main. Plus loin, j'aperçus d'autres fontaines avec des représentations de scènes bibliques. Mais ce qui me frappa le plus c'était que toutes les rues étaient bordées d'arcades afin que l'on puisse y marcher à l'abri des caprices du ciel. Nous fîmes halte au logis du Faucon, qui me sembla être un établissement de grande tenue.

— Je vais rester ici trois jours pour affaires, puis je repartirai pour Zurich. Votre compagnie m'est très agréable et je serais heureux si vous acceptiez de poursuivre ce voyage dans ma voiture.

La proposition était alléchante car elle signifiait que durant ces trois jours je pourrais me reposer, manger à ma faim et même me promener. Comme j'hésitais, le notaire ajouta :

— Et je peux même vous conseiller une couturière et une modiste qui renouvelleront en deux jours votre garde-robe, qui est fort légère si je ne me trompe point. Je vous avancerai l'argent, vous me le rendrez plus tard.

C'était de plus en plus tentant. Depuis ma fuite de Saint-Cyr, je n'avais porté que les nippes qu'on avait bien voulu me donner et, sans être frivole, cela aurait été un grand plaisir de choisir une tenue selon mon goût.

Je souriais, quand tout à coup je pensai : « Je vais passer trois jours à me pavaner dans les rues... alors que la guérison de M. de Lestrange dépend des nouvelles que je lui apporterai sur sa femme et sa fille. Trois jours qui peuvent le laisser mourir dans l'affliction... Et puis, ai-je droit à cette coquetterie alors que Simon est en prison ? »

Mon sourire se figea et je secouai la tête :

— Je ne puis accepter, monsieur. Perdre du temps serait dangereux.

Il ne s'offusqua pas de mon refus. Au contraire, il m'en complimenta.

— Vous êtes la vertu même ! Je cours me renseigner sur les diligences pour Zurich avant la tombée de la nuit.

— De mon côté, puisque vous me l'avez si obligeamment offert, je vais aller acheter un peu de linge pour la suite de mon voyage.

— Je vous conseille la boutique de Mme Hélas, ce n'est pas la mieux approvisionnée du canton mais les prix sont honnêtes. C'est une amie, elle saura vous guider. Son commerce est dans la deuxième rue à main gauche.

Je m'y rendis. J'y achetai un jupon, des bas neufs et, après bien des hésitations, une jupe de taffetas vert et un bustier assorti. J'acquis aussi un chapeau et des rubans afin de dissimuler le désastre de ma coiffure. J'y ajoutai une cape de laine et des gants, car il ne faisait pas chaud en ce pays. Ces achats me comblèrent. C'étaient les premiers que je faisais de ma vie.

Après une nuit fort reposante à l'auberge du Faucon, M. Dunoyer m'accompagna le lendemain matin à la diligence. Il me félicita sur ma nouvelle tenue puis veilla à mon confort comme s'il avait été un ami très proche. Il me donna l'adresse de l'auberge de La Tour à Zurich, où il descendrait, en ajoutant :

— En cas de besoin, n'hésitez pas à me contacter.

Nous nous séparâmes à regret. J'eus soudain un instant de panique tant la solitude m'affola. Peut-être avais-je eu tort de refuser sa protection ?

Le voyage se passa sans incident et la diligence roula bon train jusqu'à Zurich. Comme je l'avais déjà constaté, les gens n'étaient point bavards mais plutôt taciturnes et renfermés. Après l'aimable conversation que j'avais eue la veille avec M. Dunoyer, je m'ennuyais fort. L'arrivée à Zurich me fut très distrayante. En effet, c'était une fort belle ville, mais ce ne furent ni ses rues, ni ses monuments, ni la rivière qui la traversait qui me frappèrent. Non, ce qui m'étonna le plus et me fit penser que j'étais dans un bien étrange pays, ce furent ses habitants ou plus exactement ses habitantes. Elles étaient vêtues de gros drap noir plissé et ample comme les frocs des religieux bénédictins avec des manches pendantes sur les côtés. Elles portaient sur la tête un bandeau qui descendait jusqu'aux yeux et un grand linge épais par-dessus, et sous le menton un autre linge plissé qui leur couvrait jusqu'à la lèvre si bien qu'on ne leur voyait que le bout du nez.

Dès que la diligence s'arrêta, les femmes qui avaient voyagé avec moi disparurent aussi rapidement que possible, comme happées par les rues et les maisons alentour. Je me retrouvai seule sur la place.

La ville était vaste et, comme je l'avais fait à Genève, je partis au hasard en espérant tomber sur la rue où habitait le sieur Constantin. Il me sembla que les femmes que je croisais me regardaient comme si j'avais été une catin et que les hommes baissaient les yeux pour éviter de me voir, ce qui me contraria.

Il y avait déjà une bonne heure que je tournais et retournais dans la ville sans que la providence me conduisît à la bonne adresse. J'accostai deux femmes qui marchaient côte à côte parfaitement semblables dans leur accoutrement de moine noir :

— Bonjour, mesdames, veuillez m'excuser de vous importuner, mais je cherche mon chemin et...

Elles auraient vu le diable qu'elles n'auraient pas été plus affolées ! L'une d'elles me dévisagea sans aménité puis, grommelant des paroles certainement insultantes, elle entraîna l'autre à me fuir.

Quel pays était-ce là qui voile les femmes pire que les nonnes de nos couvents catholiques et les empêche de parler à celles qui ne sont pas de leur confrérie ?

Le découragement m'envahit. Malgré le froid, je m'assis sur un banc, anéantie par l'ampleur de ma tâche. Je pensai à Simon prisonnier quelque part. Simon. Combien de jours, de mois, d'années peut-être avant que nous soyons à nouveau ensemble ? Des larmes silencieuses coulèrent sur mes joues. Je les laissai aller quelques secondes, puis je les séchai d'un revers rageur de la main. S'attendrir ne servait à rien, sauf à perdre des forces et du temps... et je n'avais en trop ni des unes ni de l'autre. Je me levai et tournai à main droite et, là, je tombai sur la rue que m'avait indiquée le sieur Musard. Je me grondai intérieurement de m'être si rapidement découragée.

Au numéro 8, je toquai à la porte. Elle s'ouvrit sur une servante qui fronça les sourcils à ma vue.

— Je viens de la part de M. Musard de Genève afin de rencontrer Mme et Mlle de Lestrange.

— C'est que... elles ne sont plus là, me répondit-elle en français avec l'accent local qui me fit douter d'avoir bien compris.

Je répétai :

— Plus là ?

— Entrez, me dit-elle à regret. Je vais prévenir M. Constantin.

Je patientai quelques minutes dans une pièce minuscule et sombre. Un homme vêtu de noir entra. Il ne me tendit pas la main. Il resta raide comme un piquet devant moi et débita d'une traite :

— Mme de Lestrange est à l'hospice. Elle est malade. Sa fille Héloïse n'a pas voulu se séparer de sa mère. Elle y est aussi.

— Est-ce que je peux aller les voir ?

Son regard noir me transperça et il reprit sur un ton où perçait tout le mépris que je lui inspirais :

— Dans... dans cette tenue ?

— Je n'en ai point d'autre. Et sans vouloir vous fâcher, c'est une tenue en tout point convenable dans un autre pays que le vôtre.

— En France, pour sûr, pays de débauche et de luxure. Ici, vous êtes au royaume du vrai Dieu, celui de Luther[1] et de Calvin[2]. Je m'étonne, mademoiselle, que vous ne respectiez pas nos coutumes.

— Je ne suis que... de passage.

— Alors, passez vite, siffla-t-il avant de tourner les talons.

Je ne cherchai pas à le retenir. Cet homme était glacial et aussi borné dans sa religion que les catholiques l'étaient dans la leur.

La servante me reconduisit à la porte.

— Pouvez-vous m'indiquer l'hospice ?

— Au bout de la rue, c'est le grand bâtiment sur la gauche.

Enfin, j'arrivais au terme de ma mission !

J'oubliai tous mes tourments et, pleine d'espoir, je fis les quelques pas me séparant de l'hospice.

1. Luther, Martin (1483-1556) : théologien et réformateur allemand, initiateur d'un grand mouvement religieux.

2. Calvin, Jean (1509-1564) : réformateur français partisan des idées de Luther.

CHAPITRE

22

Dès que je poussai la porte, je reconnus l'odeur. Celle de l'infirmerie de la Maison Royale de Saint-Cyr en cent fois pire. Une odeur d'urine, de vomi, de sang. Il y avait des gens partout. Des infirmières, un tablier blanc passé sur leur tenue noire, des femmes en noir silencieuses, recueillies, priant ou pleurant, des malades allongés ou accroupis sur le sol, dont personne ne semblait s'occuper.

Avisant, sur le côté droit, une file d'attente conduisant à une petite guérite, je me mis à la suite et j'avançai pas à pas en direction de la femme dont j'apercevais le haut du crâne enveloppé de drap noir.

Quand ce fut mon tour, j'articulai clairement pour qu'elle me comprenne :

— Je voudrais voir Mme de Lestrange et sa fille Héloïse.

Elle hésita, murmura des mots inintelligibles, puis elle s'empara d'un registre, tourna plusieurs pages, suivit de l'index la liste des noms et grogna dans un français approximatif :

— Salle 8, étage deux.

Elles étaient donc bien là. Je l'aurais embrassée ! Ne le pouvant pas, je lui lançai un « merci, madame » joyeux. Elle haussa les épaules.

Toutes mes souffrances s'évanouirent. « Ah, Simon, si tu pouvais être là pour partager ce moment ! » songeai-je.

Je gravis les escaliers et traversai un long couloir sombre. Devant la salle 8, je m'arrêtai un instant. Des gémissements, des pleurs, des cris et des odeurs abominables s'en échappaient. Ma joie s'éteignit brutalement. J'eus peur soudain de ce que j'allais découvrir.

Je poussai la porte.

Il y avait là une quarantaine de lits séparés par un tabouret. À l'intérieur, des corps gémissant, somnolant, criant. Deux infirmières déambulaient dans l'allée centrale. Je m'adressai à celle qui était la plus proche de l'entrée :

— Mme de Lestrange, s'il vous plaît.

Elle me désigna le quatrième lit sur la droite. Quelqu'un était au chevet de la malade, ce ne pouvait être qu'Héloïse. Je m'approchai.

— Madame et mademoiselle de Lestrange, je suppose ?

Héloïse, qui portait la sévère tenue des femmes d'ici, tourna le visage vers moi et m'interrogea à son tour d'une voix angoissée :

— Qui... qui êtes-vous ?

Je me troublai. Je n'avais pas étudié quelle réponse serait la mieux appropriée. Devais-je dire : « La fiancée de Simon » alors que nous ne l'étions point encore ? « Une amie de Simon » alors que l'amitié n'était pas le sentiment qui nous liait ? Tout à coup, la solution m'apparut.

— Une amie de Charlotte.

— Charlotte ! s'écria Mme de Lestrange tirée de sa somnolence, il lui est arrivé malheur !

— Non point, madame.

Je n'avouai pas qu'elle avait quitté Saint-Cyr. Ne sachant pas ce qu'il était advenu d'elle, j'enchaînai :

— Je viens de la part de M. de Lestrange qui s'inquiète de ne point avoir de vos nouvelles.

— Dieu soit loué, il est donc en vie ! s'exclama Mme de Lestrange dont le visage maigre reprit des couleurs.

— J'ai écrit chaque semaine depuis que nous sommes ici et je n'ai jamais eu de réponse, me dit Héloïse.

— Votre père n'a jamais reçu la moindre lettre. Il paraît que le courrier venant des pays protégeant les huguenots n'arrive pas souvent à destination. M. de Lestrange en souffre tant qu'il est tombé malade et m'a chargée de partir à votre recherche.

Soudain méfiante, Héloïse me dévisagea.

— Pourquoi n'a-t-il pas envoyé Charlotte ou Simon... mais vous, mademoiselle, que nous ne connaissons pas.

— C'est une bien longue histoire. Sachez que j'étais en Vivarais avec Simon et votre père nous a confié à tous les deux la mission de vous retrouver. Malheureusement, au passage de la frontière, Simon a été arrêté.

Mme de Lestrange poussa un cri et s'agita sur sa couche.

— Calmez-vous, mère, n'allez pas faire remonter la fièvre alors qu'elle avait enfin baissé.

— Il est pourtant catholique à présent, murmura Mme de Lestrange.

— Oui, mais... nous n'avons pas pu franchir la frontière normalement et...

Je n'avais pas pu dire la vérité à M. Musard, je ne pus pas la dire non plus à Mme de Lestrange. Elle soupira et reprit :

— Son père s'est converti au catholicisme pour qu'il obtienne une place à la Cour. Grâce à Dieu, il en a une excellente auprès de M. de Pontchartrain, alors quelle entreprise folle a bien pu l'éloigner de son devoir ?

Penaude, je baissai la tête. J'étais la coupable ou, plus exactement, l'amour que nous éprouvions l'un pour l'autre était le seul responsable. Héloïse devina-t-elle mon tourment ? Elle m'évita une explication en enchaînant :

— Mère, l'important est que père soit en vie et qu'il nous attende.

— Jamais je ne retournerai sur le sol de France, nous y avons trop souffert. Je veux mourir ici en terre huguenote.

— Pas moi ! s'emporta Héloïse. Ce pays où l'on enveloppe les filles dans des tissus lourds, où elles n'ont pas le droit de sortir, et ne peuvent ni danser ni rire et sont mariées à des hommes choisis par le pasteur, ne me plaît pas...

— Il est vrai qu'à Zurich la vie est bien austère pour une jeune personne et que je ne m'attendais pas à tant de rigueur.

— Et puis, convenez-en, le nombre de huguenots réfugiés en Suisse est tel que nous sommes devenus indésirables. On nous accuse du renchérissement de la vie : le loyer du moindre taudis est inabordable, le pain même devient une denrée pour les riches. Tout est fait pour nous décourager afin que nous partions en Allemagne, en Hollande ou en Angleterre.

— Hélas ! nous n'en avons plus ni la force ni les moyens. Et plus personne ne veut nous faire crédit.

— Nous allons revenir chez nous en Vivarais, assura Héloïse d'une voix joyeuse.

— Ah, ma fille, ce n'est pas si simple. Je suis malade et...

— Mère, votre maladie vient du fait que vous avez cru père mort et que n'espérant plus rien de la vie, vous avez laissé fuir la vôtre en ne vous nourrissant plus. À présent, je suis certaine qu'en peu de jours vous allez recouvrer la santé.

— Je vais essayer. Je serais si heureuse de revoir votre père...

— Il faudra pourtant accepter de nous convertir si nous ne voulons pas, nous aussi, finir en prison ou sur un navire à destination des Amériques.

— Jamais ! se buta Mme de Lestrange.

— Mère, nous avons fui pour vivre notre foi. Et quel est le résultat ? Nous n'avons plus un sou, personne ne nous aide, vous dépérissez loin de votre époux et je n'ai pas d'autre avenir que celui d'épouser un vieux huguenot choisi par le pasteur. Êtes-vous certaine que ce soit le meilleur pour nous ?

Mme de Lestrange secoua la tête et, fermant les yeux, elle grommela :

— Laissez-moi, à présent. J'ai besoin de réfléchir.

La jeune fille se leva du tabouret où elle était assise, et m'entraîna hors de la pièce.

Je me sentis en confiance avec Héloïse, et tandis que nous cheminions dans les rues, je lui contai toute mon histoire. Elle frémit de peur et d'indignation. Elle admira mon courage et ma résignation. À la fin de mon discours, elle conclut :

— Ainsi, c'est par amour pour vous que Simon est en prison.

— Oui. Et c'est par amour pour lui que je suis là.

— Ah, l'amour ! soupira-t-elle.

— Il n'y a plus qu'à convaincre votre mère.

— Ce sera difficile. Quant à moi, je n'en peux plus de cette vie misérable. Je ne reconnais plus la religion de mon enfance. Celle que l'on m'impose ici est par trop rigoureuse. Et sans être une gourgandine, j'ai soif d'un peu plus de liberté.

Elle tâta l'étoffe de sa robe et ajouta :

— Comme, par exemple, porter autre chose que cet affreux vêtement noir !

Je lui souris. Elle éclata de rire. Comme si tout à coup le poids qui pesait sur ses épaules s'envolait. Les passants dans la rue nous foudroyèrent d'un regard réprobateur.

Nous gravîmes un escalier de bois branlant jusqu'à une pièce sombre et basse sous les toits :

— Notre royaume ! s'exclama-t-elle.

Il y avait pour tout mobilier une paillasse à même le sol, une table et deux tabourets. Ce dénuement me bouleversa.

— Voilà où nous vivons depuis un an. Il ne nous reste rien de l'argent que nous avions emporté. Maman est souffrante et je n'ai pas de travail. Nous sommes trop nombreux à chercher de quoi subvenir à nos besoins et pour une place de servante, il y a vingt candidates. Ah, si nous avions pu nous douter que ce serait si difficile, pas sûr que nous nous serions lancées dans l'aventure !

— Vous allez regagner la France et reprendre votre vie d'avant.

— Non point. Ce ne sera plus pareil. Je ne suis plus la fragile Héloïse. Je me suis aguerrie pour surmonter les humiliations, la souffrance et la faim... Et puis, je ne sais plus où est ma place : pas dans la religion catholique, mais pas non plus dans cette religion qui fait de nous des moines noirs sans joie.

— Je vous comprends, mais là-bas, chez vous, vous apprendrez à vous reconstruire.

— Puissiez-vous dire vrai... Las, la route est si longue jusqu'au Vivarais ! Il faudra encore ruser pour pénétrer dans le pays, se cacher, risquer d'être dénoncée... Je ne sais pas si j'en aurai la force.

— Vous l'aurez. Je vous y aiderai.

CHAPITRE

23

Le soir, grâce à mon modeste pécule, nous achetâmes du pain, du lait et même un pâté. Et ce fut un plaisir de voir Héloïse déguster ces mets dont elle semblait avoir oublié la saveur. Tandis que nous mangions, je lui parlai de M. Dunoyer qui avait proposé de m'aider en toutes circonstances. Elle se montra méfiante. Les gens recommandés par son père s'étaient dérobés et elle doutait à présent de tout le monde. De mon côté, je n'avais aucune assurance que le notaire n'était point comme les autres, même si j'éprouvais pour lui une vive sympathie.

— Je n'ai pas d'autre solution à vous proposer, lui dis-je.

— Eh bien, voyons donc ce M. Dunoyer.

Le lendemain, je me rendis seule à l'adresse qu'il m'avait donnée. Héloïse ne souhaita pas m'accompagner afin de ne pas être exclue de sa communauté. En effet, elle m'apprit qu'il était interdit à une jeune fille de rencontrer un homme non présenté par un pasteur.

Je revins une heure plus tard en annonçant que je n'avais point vu M. Dunoyer.

— Que vous avais-je dit ! s'exclama-t-elle.

Je la rassurai :

— C'est nous qui sommes trop pressées. M. Dunoyer devait rester deux ou trois jours à Berne. Il nous faudra patienter.

— Trois jours, je ne le pourrai point !

— Allons, ce n'est pas le moment de flancher... Trois jours, c'est bien peu quand il y a tant de mois que vous êtes dans l'affliction !

— Ah, mon amie, ils vont me sembler interminables. Je ne supporte plus cette vie et mère s'affaiblit. Si nous ne partons pas vitement, elle en mourra.

Nous apportâmes à Mme de Lestrange un pâté et des confitures sèches. Ses yeux brillèrent de gourmandise et elle mangea de bon appétit.

— Mère ! Quel bonheur de vous voir absorber un peu de nourriture.

— Il est vrai que depuis que je sais que je vais revoir mon mari je reprends goût à la vie.

Trois jours durant, je me rendis à l'auberge de La Tour sans succès. Héloïse se renfermait et je commençais à douter de l'honnêteté de M. Dunoyer.

J'avais entamé ma dernière livre et je m'inquiétais de savoir comment nous allions pouvoir, sans argent, regagner la France. Nous n'avions pas fait part de nos craintes à Mme de Lestrange, pour ne pas ralentir sa convalescence, mais, à présent, c'était Héloïse qui dépérissait au fur et à mesure que les jours s'écoulaient. Je devais user d'un optimisme feint pour qu'elle consentît à boire du lait et à manger un peu de pain lorsque je revenais de l'auberge où l'on m'avait annoncé que M. Dunoyer n'était toujours pas de retour.

Au soir du quatrième jour, je n'osais plus entrer dans l'auberge de crainte d'entendre encore une mauvaise nouvelle et par peur aussi de passer pour une intrigante harcelant un homme en voyage.

Lassée d'attendre seule dans son taudis, Héloïse m'avait cette fois accompagnée. Nous nous postâmes en face de l'auberge et fîmes semblant de bavarder. Le vent et le froid nous glaçaient et ce n'était assurément pas un endroit agréable pour la conversation. Nous espérions voir entrer ou sortir M. Dunoyer et nous guettions les cavaliers, les piétons et les voitures qui s'arrêtaient devant l'auberge.

— Nous allons geler sur place et il ne viendra pas, s'entêtait Héloïse alors que nous faisions le pied de grue depuis une bonne demi-heure.

Soudain, je le vis, emmitouflé dans une grande cape, le chapeau enfoncé jusqu'aux yeux. Je crois qu'il me vit au même instant, car nous fîmes chacun quelques pas vers l'autre.

— Hortense ! s'étonna-t-il, est-ce moi que vous attendez ?

— Oui, monsieur, avec mon amie Héloïse... Nous aurions besoin que...

— Ne restez point là aux quatre vents, venez boire quelque chose de chaud.

Apeurée à la perspective d'entrer dans une auberge avec un homme, Héloïse hésita, puis, me prenant le bras, elle suivit M. Dunoyer. Le nœud qui me serrait la gorge se relâcha. Il allait s'occuper de nous.

M. Dunoyer nous guida jusqu'à une table discrètement installée derrière un pilier. Héloïse se posa sur un tabouret et garda les yeux baissés. Tandis qu'une servante nous apportait un verre de lait chaud sucré de miel, je contai au sieur Dunoyer l'histoire de la famille de Lestrange.

— Comme vous avez dû souffrir ! murmura-t-il en posant sur Héloïse un regard compatissant.

Elle rougit, se troubla et répondit :

— Ah, monsieur, si vous pouvez nous aider à regagner le Vivarais, je vous en serai éternellement reconnaissante.

— Comptez sur moi. Il est de mon devoir de gentilhomme huguenot de porter secours à une dame et à une demoiselle de notre religion.

Je retrouvais bien là l'homme dont la gentillesse et la galanterie m'avaient impressionnée... Mais cette fois, il accordait tous ses souris[1] à Héloïse, qui en était rose d'émotion.

Il fut convenu qu'il règlerait rapidement les affaires qu'il était venu conclure à Zurich, puis qu'il organiserait notre voyage vers la France. Rendez-vous fut pris pour le lendemain soir afin que nous discutions des modalités de ce retour.

— Je viendrai vous prendre à votre domicile, proposa-t-il.

— Non ! s'écria Héloïse confuse à l'idée de montrer à ce gentilhomme le taudis où elle vivait, nous... nous viendrons jusqu'à l'auberge.

— Comme il vous plaira.

Lorsque nous nous séparâmes, Héloïse était métamorphosée.

---

1. Ancien mot pour sourire (un souri, des souris).

— Vraiment, ce M. Dunoyer est un parfait gentilhomme. Je me sens en confiance avec lui.

Nous marchâmes ensuite en silence jusqu'à la porte de notre galetas. Là, elle se tourna vers moi et me lança une phrase curieuse :

— Sa femme a bien de la chance.

À mon avis, c'était une façon détournée de me demander : « Savez-vous s'il est marié ? » Ce à quoi, je répondis :

— Je ne pense pas qu'il soit marié. Lors du repas que nous avons pris chez M. Musard, il n'était point accompagné.

— C'est étonnant. Un si bel homme ! prononça-t-elle comme pour elle seule.

Je souris. Allons, malgré tous ses malheurs, elle avait conservé un cœur intact, prêt à s'émouvoir... et il se pouvait bien que ce cœur-là se fût enflammé pour un homme avec qui elle avait à peine échangé dix mots.

24

Le lendemain soir, nous nous présentâmes à l'auberge peu après sept heures. M. Dunoyer nous attendait, attablé devant une chope de bière. Il se leva pour nous accueillir. Je remarquai qu'il avait une tenue particulièrement soignée. Il s'empressa auprès d'Héloïse pour lui avancer un siège, il fit de même pour moi avec, me sembla-t-il, un peu moins d'allant. Il nous proposa un café. Je n'en avais encore jamais goûté. C'était une boisson à la mode et qui coûtait cher. M. Dunoyer voulait sans doute nous honorer et nous montrer sa générosité.

Héloïse refusa, assurant qu'un verre d'eau lui suffirait. En homme du monde, M. Dunoyer n'insista pas. Quant à moi, je regrettai de ne point déguster ce nouveau breuvage.

Il questionna Héloïse sur sa famille et j'eus l'impression de ne plus exister, mais j'étais si soulagée qu'il se charge de leur destinée que je n'en pris point ombrage.

Pendant qu'il parlait, je pensais à Simon. J'avais tenu ma promesse, maintenant, j'avais hâte de regagner la France pour m'employer à sa libération. Je savais que ce ne serait pas facile, mais il me semblait que l'amour que je lui portais serait mon plus précieux atout. Chaque jour je priais pour lui, pour qu'il ne souffre pas trop dans sa prison et surtout pour qu'il ne parte pas aux galères. Cette idée me rendait folle de douleur.

Tout à coup, Héloïse se leva, me tirant de ma rêverie. Je la suivis. M. Dunoyer insista pour nous accompagner jusqu'à notre logis. Héloïse marcha tête baissée à son côté et nous n'échangeâmes pas une parole. Devant la maison qui abritait notre galetas, il nous réitéra ses engagements et assura qu'il serait heureux de nous revoir le lendemain à la même heure à son auberge.

En montant notre escalier branlant, je surpris Héloïse en train de se retourner avant que la porte ne se refermât sur nous. Ce geste inconsidéré la fit rougir et elle me dit comme pour s'excuser :

— Il faut que M. Dunoyer soit un bien galant homme pour accepter de s'occuper de deux pauvres femmes comme ma mère et moi.

Au matin, on frappa à la porte de notre mansarde. Héloïse, affolée, se persuada qu'il s'agissait du pasteur venu lui reprocher sa conduite et se terra dans un coin. J'ouvris sur un petit livreur chargé d'un panier regorgeant de douceurs : confitures sèches, beignets, dragées, massepains. Héloïse poussa un cri de surprise, jaillit de sa cachette et s'empara du panier. Un pli était glissé parmi les fruits confits. Elle le décacheta et lut : *Avec mon meilleur souvenir, Eugène Dunoyer.*

Elle picora un morceau de poire translucide, m'en tendit un et s'exclama d'une voix primesautière :

— N'est-il pas charmant ?

M. Dunoyer faisait sa cour et Héloïse y était sensible.

— Il faut que je le présente à mère sans tarder. J'espère qu'il lui plaira.

— Comment pourrait-il en être autrement ?

— Vous avez raison. M. Dunoyer est vraiment l'homme de... de la situation.

— En effet.

La naissance de cet amour me fit revivre mes propres émois lorsque j'avais découvert le regard de Simon sur moi pendant que je jouais *Esther,* mes doutes quant à mes sentiments et les siens, mon trouble, mon angoisse et mon bonheur lorsque je compris qu'il m'aimait... J'avais appris à mes dépens que l'amour peut bouleverser et transformer une vie. Je sentais bien qu'Héloïse hésitait à laisser parler son cœur. Je l'y aidai en ajoutant :

— ... et en plus, il est amoureux de vous.

— Oh, vous croyez !

— Aussi sûr que le nez est au milieu de la figure.

Ma comparaison la fit éclater de rire et elle croqua avec gourmandise dans le fruit sucré.

— Alors tant mieux, parce que je crois bien que je le suis de lui.

— Je m'en suis aperçue.

— Mon Dieu, cela se voit-il tant que ça ?

— Vous rayonnez !

— Oui. J'ai tout à coup envie de vivre, de rire... de manger des bonnes choses, de m'habiller de soie et d'être belle... Oh, pourvu que le seigneur ne me punisse pas d'éprouver tout ce bonheur.

— Notre seigneur, qu'il soit catholique ou huguenot, est amour. Il est heureux si vous êtes heureuse.

Elle me posa un baiser collant sur la joue.

— Hortense, vous êtes mon porte-bonheur !

Quelques jours plus tard, M. Dunoyer vint à l'hospice pour faire la connaissance de Mme de

Lestrange. Elle fut immédiatement conquise par cet homme avenant qui lui promettait qu'elle regagnerait la France sous peu. Il proposa de lui louer une chambre à l'auberge afin qu'elle quittât ce lieu misérable. Elle commença par refuser, mais sa santé s'étant méliorée[1], elle avait de plus en plus de mal à endurer la promiscuité, les odeurs et les gémissements des malades, et elle finit par accepter.

Bientôt, elle logea dans une chambre propre en face de celle occupée par M. Dunoyer, qu'elle considéra rapidement comme un ami sûr. Héloïse et moi continuâmes à loger dans notre soupente... Il n'aurait pas été de bon ton qu'Héloïse couchât sous le même toit qu'un homme qui lui faisait la cour.

Héloïse se transforma. Elle supprima l'épaisse étoffe qui lui couvrait la tête et le bas du visage, coiffa avec application ses cheveux bruns, qu'elle avait longs et soyeux, les attacha d'un ruban de soie bleue, puis s'inquiéta :

— Ne pensez-vous pas que cette coiffure est par trop provocante ?

Me souvenant des dames de la noblesse qui étaient venues à Saint-Cyr assister à la représentation d'*Esther* somptueusement vêtues de soie, les

1. Se méliorer : s'améliorer.

épaules et la gorge dénudées, et portant dans leur chevelure bouclée au fer de nombreux rubans, des perles et des pierreries, je la rassurai :

— Non point, vous êtes parfaite.

Lorsque sa mère vit la transformation de sa fille, elle s'indigna :

— Héloïse, vous commettez le péché de coquetterie.

La jeune fille rougit.

— C'est que je ne supporte plus d'être enfermée dans ces draps sombres. Il ne me paraît pas que cela soit un grand péché que de montrer ses cheveux et son visage. Nous le faisions avant de venir ici et notre pasteur ne nous l'a jamais reproché.

Mme de Lestrange hocha la tête. Elle partageait l'avis de sa fille mais craignait le jugement de la communauté protestante de Zurich. Héloïse détourna habilement la conversation en annonçant :

— Dans quelques jours, grâce à M. Dunoyer nous aurons quitté cette ville trop sévère et nous serons en route pour notre Vivarais.

— Ah, puissiez-vous dire vrai !

Pendant toute une semaine, nous revîmes M. Dunoyer chaque soir. Il nous offrait un café, un verre de lait ou un chocolat. Il dévorait Héloïse des yeux. Héloïse rougissait, souriait et se laissait conter fleurette. Pour ma part, le temps coulait trop lentement et il m'arrivait même d'imaginer que M. Dunoyer retardait notre départ pour demeurer avec Héloïse. J'en fis la remarque un soir à cette dernière.

— Oh, non ! s'offusqua-t-elle, il est si gentil, si prévenant... Il cherche seulement à nous faire entrer en France sans danger et je suppose que ce n'est pas facile.

Elle avait sans doute raison... à moins que son amour ne l'aveuglât et que M. Dunoyer ne se jouât de sa naïveté.

Enfin, un soir, il nous dit :

— Je pense avoir un moyen pour que vous franchissiez la frontière sans risque.

— Ah ! souffla Héloïse.

Il me sembla que son cri n'était pas spécialement joyeux.

En effet, une nuit où nous ne parvenions pas à dormir, elle m'avait avoué qu'elle n'était plus si pressée de quitter la Suisse puisque ce départ signifiait la séparation d'avec M. Dunoyer.

— Oh, j'ai honte, m'avait-elle avoué, mais il est si bon, si doux, si délicat, que je n'ai pas envie de le perdre... et pourtant mère attend avec tellement d'impatience notre départ...

M. Dunoyer saisit la main d'Héloïse.

— Héloïse, accepteriez-vous de... de m'épouser ?

Je la vis pâlir et si elle n'avait point été assise, elle serait tombée en pâmoison.

Craignant sans doute d'avoir été trop direct, M. Dunoyer ajouta :

— Cela vous évitera une conversion au catholicisme et vous donnera la nationalité suisse. Notre voyage en France ne posera plus alors aucun problème.

— Et... pour ma mère ?

— J'emprunterai le passeport de la mienne : elles ont sensiblement le même âge. Ainsi je pourrai vous accompagner jusqu'en Vivarais.

Du coup, elle ne savait plus s'il l'épousait par amour ou seulement pour accomplir le devoir qu'il s'était fixé. Je lus le désarroi dans son regard. Il le lut aussi car il approcha son visage du sien.

— Je vous aime, Héloïse. Et si, comme je l'espère, vous partagez mes sentiments, ce mariage ne sera pas une pure formalité mais un acte d'amour.

— Oh, monsieur... rien ne pourrait me faire plus plaisir. Et si ma mère y consent, je deviendrai votre femme de tout mon cœur.

Je détournai la tête pour faire mine de ne point écouter, affreusement gênée d'assister à cette scène intime... J'eus alors comme un cruel pressentiment. Où était Simon ? Le reverrais-je un jour et notre union serait-elle célébrée ? Il me sembla qu'il y avait un siècle qu'il avait disparu de ma vie.

Un frisson me parcourut.

CHAPITRE

25

Deux semaines plus tard, le mariage d'Héloïse de Lestrange et d'Eugène Dunoyer fut célébré au temple de Zurich dans la plus stricte intimité. La neige était tombée en abondance mais un rayon de soleil était venu réchauffer cette journée. L'approche de la Noël, que nous espérions passer tous ensemble en France, nous rendait optimistes.

M. Dunoyer avait offert à sa promise une robe de soie bleu nuit ornée d'un fin col de dentelle. Héloïse était radieuse et je dois avouer que je l'enviais.

À part Mme de Lestrange et moi, il n'y avait personne dans l'immense église. C'était la première fois que je pénétrais dans un temple protestant. La nudité des murs, l'absence de statues, le manque de balustrades dorées m'étonna. Rien à voir avec la beauté et le faste des églises de ma Bretagne, ni même avec la richesse de la chapelle de Saint-Cyr, et je me surpris à penser que cette sobriété était peu en rapport avec la gloire de Dieu. Cette cérémonie me rappela brutalement que je n'avais point assisté à une messe depuis fort longtemps. Cela me perturba et je priai Dieu qu'il me pardonne et ne m'envoie pas d'épreuves trop difficiles à surmonter pour me punir de cette désertion.

Après l'échange des consentements, il n'y eut aucune grande fête. C'était normal. M. Dunoyer n'avait convié ni sa famille ni ses amis. Il nous invita à un repas copieux dans une auberge et ce fut tout. Mme de Lestrange déplora l'absence de son cher époux, regretta que Charlotte et Simon ne puissent assister à l'événement et versa quelques larmes.

La dernière bouchée avalée, nous montâmes dans une calèche. Les bagages avaient été rapidement faits, nous n'avions, toutes les trois, presque rien à emporter.

C'est sans regret aucun que nous quittâmes ce pays qui avait pourtant fait rêver Mme de Lestrange. Lorsque la voiture franchit les portes de la ville, elle déclara :

— J'avais cru pouvoir vivre ici ma religion sans contrainte... mais c'est la religion qui m'en a imposé de nouvelles.

Nous arrivâmes bientôt au poste frontière. L'angoisse me serra la gorge et je vis sur les visages d'Héloïse et de sa mère la même peur que la mienne. Eugène nous rassura :

— Ne vous inquiétez pas, tout se passera bien.

J'admirai sa décontraction.

Il descendit de voiture, s'approcha d'un garde suisse, lui présenta nos papiers, s'entretint un instant avec lui, puis revint vers nous d'un pas nonchalant et, s'asseyant à côté de son épouse, il nous expliqua :

— Comme convenu, je lui ai dit que je vous accompagnais jusqu'à Aix pour prendre les eaux.

Quelques mètres plus loin, le cocher s'arrêta devant le poste-frontière français. Eugène descendit à nouveau de voiture et servit le même mensonge. Cette fois, le garde examina les papiers avec plus d'attention et vint même jeter un œil aux passagères. Héloïse serra ma main si fort que ses ongles pénétrèrent dans la chair de ma paume.

Mais l'officier l'ignora et c'est à moi qu'il ordonna :

— Descendez !

Les jambes tremblantes, je m'exécutai et mille pensées affolantes m'envahirent : « J'allais être arrêtée pour avoir fui Saint-Cyr, pour avoir aidé des protestantes, parce qu'ils avaient découvert que Simon m'avait enlevée... parce que...

— Vous êtes catholique, reprit-il, que faisiez-vous donc en Suisse, le pays des... huguenots ?

Le dernier mot claqua avec mépris dans sa bouche.

J'eus un instant de panique. Il me fallait sur-le-champ trouver une explication valable. La seule qui me vint à l'esprit était des plus rocambolesque. Me souvenant d'une rumeur qui prétendait que le Roi de France envoyait des émissaires en Suisse pour espionner les familles riches et nobles qui s'y étaient installées, je décidai d'explorer cette piste. Lui adressant mon sourire le plus énigmatique, j'assurai à voix basse :

— Monsieur, je ne peux trahir un secret d'État en répondant à votre question.

— Espionne du Roi ? me souffla-t-il à l'oreille.

Je hochai la tête.

— Et... avez-vous pu obtenir des informations sur cette... cette rascaille ?

— J'en ai.

Mettant un doigt sur mes lèvres, je lui fis comprendre que je n'en dirai pas plus. Il me tendit la main pour m'aider à remonter dans la voiture. Je lançai un regard méprisant à Héloïse pour lui signifier que ce n'était point le bon moment pour me sourire. Elle le comprit et resta blottie contre sa mère comme si elle ne me connaissait point. Eugène monta à son tour et, sans perdre de temps, il ordonna au cocher de fouetter les chevaux.

Dès que nous nous fûmes éloignés, Héloïse fondit en sanglots nerveux.

— Seigneur, réussit-elle à bredouiller, j'ai cru qu'on vous arrêtait !

M. Dunoyer la réconforta et elle sécha rapidement ses larmes. Je regrettai quant à moi de ne pouvoir me blottir dans les bras de Simon. Simon... Plus j'approchais de lui et plus l'angoisse m'envahissait. « Pourvu qu'il soit encore à Lyon ! Pourvu qu'il soit toujours en vie ! Pourvu que je parvienne à obtenir sa libération ! » ne cessais-je de me répéter.

— Vous êtes courageuse, Hortense, et vous avez de l'à-propos, me félicita M. Dunoyer après que je leur eus narré la fable que j'avais servie au garde-frontière.

— La vie se charge parfois de nous inculquer le courage sans qu'on lui ait rien demandé, répondis-je.

Aux environs de Lyon, ma nervosité empira. Car je savais qu'il me serait difficile de me montrer au grand jour sans craindre d'être arrêtée à mon tour !

Lorsque nous franchîmes les portes de la ville, j'avais les mains glacées et les lèvres tuméfiées à force de les avoir mordues. Héloïse et sa mère, fortes de l'immunité que leur conféraient leurs passeports suisses, avaient réussi à se détendre et s'exclamaient joyeusement en reconnaissant des lieux familiers qu'elles avaient pensé ne jamais revoir.

Nous descendîmes à l'auberge du Bœuf d'Argent. Mme de Lestrange, fatiguée par le voyage, avait besoin de se reposer. Moi, pas. J'avais des fourmis dans les jambes et un seul souhait : revoir Simon. Héloïse, qui avait conduit sa mère dans une chambre, me rejoignit dans la salle commune où M. Dunoyer venait de nous faire servir un repas.

— Dès que nous aurons mangé, je vous accompagnerai à la prison pour obtenir des nouvelles de votre fiancé, me proposa-t-il.

J'hésitai à lui révéler que je lui avais caché une partie de la vérité et qu'en allant voir Simon je risquais d'être arrêtée à mon tour. Héloïse m'encouragea :

— Je crois, chère Hortense, que si vous voulez qu'Eugène vous aide efficacement, il faut lui expliquer votre véritable situation.

Je n'avais pas le choix et je livrai mon lourd secret à M. Dunoyer, comme je l'avais fait quelques semaines plus tôt à Héloïse.

— Eh bien, avec vous, je vais de surprise en surprise !

— J'avoue que lorsque Hortense m'a conté son aventure, j'en ai été très étonnée, ajouta Héloïse. Je ne connaissais pas mon frère sous cet angle cheva-leresque. Pour moi, il était obéissant, rigoureux et ennuyeux, et qu'il ait accepté de perdre sa place à la Cour et de risquer sa vie par amour me rapproche de lui.

— Voilà une réaction toute féminine ! Vous sou-haitez épouser un homme sur qui vous pouvez compter, mais vous vous pâmez d'aise s'il perd la tête pour vos beaux yeux !

Héloïse rit d'être si bien comprise.

— Hélas ! cela ne va pas faciliter votre rencontre, enchaîna M. Dunoyer, et je ne vois pas comment...

Être si près de Simon et ne pas le voir m'était intolérable. Je repoussai mon assiette garnie d'un appétissant pot-au-feu auquel j'avais à peine tou-ché. M. Dunoyer, dont l'assiette était vide, but une gorgée de vin, et réfléchit un instant.

— Il y aurait bien une solution, mais...

Il se tourna vers Héloïse avant de poursuivre :

— Ce serait qu'Hortense se fasse passer pour vous... mon épouse... à condition que cela ne vous offense point.

— Puisqu'il s'agit de mon amie et de mon frère, il n'y a pas d'offense.

— Mme de Lestrange continuera à jouer le rôle de ma mère ainsi elle pourra elle aussi embrasser Simon. J'ai à Lyon quelques bons amis. J'irai dès demain obtenir d'eux un droit de visite... il ne reste plus qu'à espérer que Simon soit toujours dans une des geôles de Lyon.

— Je prie tous les jours pour cela... Et je vous ajouterai à mes prières pour que Dieu vous récompense de tout ce que vous faites pour moi.

M. Dunoyer fit un geste de la main pour me signifier qu'il n'attendait aucun remerciement. Je me levai pour regagner ma chambre et leur laisser un peu d'intimité, ce dont ils étaient singulièrement privés alors qu'ils étaient depuis peu mari et femme.

Allongée dans le noir, je revécus encore et encore l'arrestation de Simon. J'entendais les tirs de mousquet, j'éprouvais la douleur de sa blessure et la tête me faisait mal.

CHAPITRE
26

Nous ne vîmes pas M. Dunoyer de la journée. Je m'en voulais de le soustraire ainsi à l'affection d'Héloïse, mais elle ne m'en tint pas rigueur et nous employâmes le temps à distraire Mme de Lestrange.

Je ne fus pas excellente à cet exercice car toutes mes pensées étaient tournées vers Simon. Plusieurs fois, je perdis le fil de la conversation et c'est Héloïse qui relançait le dialogue en abordant un nouveau sujet susceptible d'intéresser sa mère.

M. Dunoyer revint alors que nous nous asseyions autour de la table pour le souper. Héloïse, qui commençait à s'inquiéter de la longueur de son absence, l'accueillit avec soulagement.

— J'ai eu du mal à convaincre mon ami. Il craignait pour sa sécurité s'il nous secourait et il a fallu toute ma force de persuasion pour qu'il consente à m'écrire ces précieux papiers.

Souriant, il nous montra les trois autorisations de visite.

— Simon est-il toujours à la prison de Lyon ? lui demandai-je.

— On n'a pas pu me le garantir. Nous le saurons en nous présentant au gouverneur de la prison, mais il n'y a pas eu de départ de chaîne[1] depuis un mois, il y a donc bon espoir.

— Puissiez-vous dire vrai !

— On m'a conseillé de nous munir de quelques pistoles. Il faudra graisser la patte au geôlier, en laisser une bonne part à Simon pour qu'il puisse enfin se nourrir à sa faim.

— Hélas, nous n'avons rien ! s'exclama Héloïse.

— J'ai du bien, vous le savez, et il est à votre entière disposition.

Héloïse s'accrocha au bras de son époux et lui lança un regard plein d'amour.

Dès le lendemain matin, nous parcourûmes les rues de Lyon à la recherche d'un perruquier, car j'étais rousse et Héloïse avait de magnifiques cheveux

---

1. C'est ainsi qu'on appelait les départs pour les galères.

bruns mentionnés sur son passeport. L'essayage de toutes ces perruques aurait pu être divertissant, mais l'enjeu était trop grand pour que cela m'amusât. Depuis que j'avais quitté la protection de Saint-Cyr, je ne cessais de me travestir pour paraître ce que je n'étais point. J'en souffrais car le mensonge n'était pas dans ma nature. J'espérais qu'un jour je pourrais à nouveau être moi : Hortense de Kermenet, catholique, rousse, épouse de Simon, et heureuse... mais il me parut que ce jour n'était point proche et que de nombreuses épreuves m'attendaient encore. Sentant mon courage m'abandonner, je fanfaronnai :

— Cette chevelure brune me va à ravir !

Après-dînée, nous partîmes pour la prison. Héloïse, émue, me murmura à l'oreille :

— Je vais prier pour la réussite de votre entreprise.

Puis elle dit à sa mère :

— Assurez Simon de ma tendre affection.

Nous avions recommandé à Mme de Lestrange de parler le moins possible en présence de tiers car elle devait jouer le rôle de la mère de M. Dunoyer et ne point considérer Simon comme son fils. Nous tremblions qu'elle ne commette un faux-pas dans cette comédie, ou que ce soit Simon qui s'exclame : « Mère ! » en la voyant.

Peu de temps après, le cocher nous arrêta devant un sinistre bâtiment. Mon cœur qui, depuis le départ de l'auberge, battait déjà très fort s'affola dans ma poitrine. Je saisis le bras de Mme de Lestrange autant pour l'aider à faire les quelques pas qui nous séparaient de l'entrée que pour me soutenir moi-même.

M. Dunoyer frappa à l'aide du lourd marteau de bronze. Le guichet s'ouvrit sur deux yeux perçants aux sourcils fournis. M. Dunoyer donna son nom, montra ses laissez-passer et fit tinter sa bourse. La porte s'ouvrit. On pénétra dans une cour. M. Dunoyer remit quelques pièces au portier, qui nous pria de patienter dans une petite pièce froide et humide équipée d'une table et de deux chaises. Le temps me parut affreusement long. Je soupirais. Mme de Lestrange soupirait aussi et M. Dunoyer marchait nerveusement entre les quatre murs. Enfin, un homme se présenta comme étant le gouverneur de la prison. Il examina les papiers que lui tendit M. Dunoyer et nous questionna sans aménité :

— Vous êtes huguenots ?

— Oui. Mais je suis de nationalité suisse... ma mère aussi, et j'ai épousé depuis peu Mlle de Lestrange. Nous ne sommes en France que parce que nous avons appris que son frère Simon était emprisonné. Nous regagnerons la Suisse dès que nous aurons pu le voir et nous assurer qu'il va bien.

— Il va bien, lâcha le gouverneur.

Soulagée, je ne pus m'empêcher de m'exclamer :

— Dieu soit loué, il est encore là !

Je lançai un regard inquiet vers Mme de Lestrange, assise sur une chaise, la suppliant de ne point réagir à cette bonne nouvelle. Avait-elle parfaitement assimilé son rôle ? Elle ne broncha point.

— Mais pour le voir..., continua le gouverneur. Nous avons ordre de ne laisser entrer aucun visiteur huguenot... D'autant que Lestrange est à présent catholique. Un contact avec son ancienne famille pourrait lui nuire.

— S'il vous plaît, monsieur, suppliai-je.

— Impossible ! affirma l'odieux personnage.

M. Dunoyer sortit la bourse de la poche de son habit en tira plusieurs pièces, qu'il tendit au gouverneur. Il les empocha sans commentaire et, faisant mine d'étudier à nouveau le laissez-passer, il remarqua :

— Je m'aperçois que ces documents sont écrits de la main du sieur Guillaumet, c'est un ami à qui je ne saurais rien refuser.

— C'est un homme de grande valeur et l'un de mes amis également.

Il quitta la pièce sans un mot de plus et l'attente reprit.

Au bout d'une éternité, la porte s'ouvrit. Simon entra lentement, les chevilles entravées par une chaîne. Il était maigre, sale, mais vivant. Je poussai un cri et je me jetai contre lui. Il eut une seconde d'hésitation sans doute due à ma perruque brune. Les larmes que j'avais si souvent retenues me submergèrent et je restai ainsi quelques longues minutes à pleurer. M. Dunoyer me prit par le bras pour m'éloigner doucement de lui. Mme de Lestrange, jugeant sans doute mon comportement excessif, darda sur moi un œil réprobateur. J'en rougis de honte. Je vis ensuite le sourire goguenard des deux gardes plantés devant la porte. M. Dunoyer leur donna à chacun quelques pistoles pour qu'ils nous ignorent.

Simon se précipita aux pieds de sa mère et l'étreignit tendrement. Cependant, se doutant que nous avions usé d'un subterfuge pour arriver jusqu'à lui, il ne prononça aucune parole nous confondant. Il revint vers moi et me saisit les deux mains.

— Merci, me dit-il simplement.

— Héloïse va bien aussi.

— Merci, répéta-t-il.

Et moi, je traduisis : « Merci d'avoir retrouvé ma mère et ma sœur, je vous aime. »

Oubliant bruquement son rôle, Mme de Lestrange questionna son fils afin de savoir pourquoi lui qui était catholique et qui servait avec loyauté M. de Pontchartrain avait pu être arrêté. Simon comprit alors que sa mère n'était point au courant de notre aventure et il broda un mensonge qui ne me compromettait pas.

Un coup d'œil aux gardes qui bavardaient entre eux à voix basse me prouva qu'ils se moquaient éperdument de notre conversation.

— Ah, mon ami, murmurai-je à Simon, comment vous faire sortir de cette geôle ?

— Hélas ! il est facile d'y entrer... mais il ne faut point songer à en sortir sans l'intervention de personnages haut placés... Le Roi manque de galériens, le Nouveau Monde manque de colons, alors...

— Et je crains fort de ne pas avoir en France d'amis assez puissants pour vous tirer de là, se désola M. Dunoyer.

— Rien ne me sera donc épargné ! se lamenta Mme de Lestrange. Je vais retrouver un époux et perdre un fils !

— Je vous en prie, madame, soyez forte, l'exhorta M. Dunoyer. Et surtout pas d'imprudence.

Elle se laissa tomber sur une chaise et les sanglots la secouèrent. M. Dunoyer la supplia de se reprendre tandis que Simon lui assurait qu'il subirait son sort avec courage. Je contins à grand-peine mes larmes devant cette scène touchante. Pour moi, l'heure n'était déjà plus aux lamentations. Je réfléchissais comment sauver Simon et deux ou trois mots qu'il avait prononcés tournaient en boucle dans ma tête : il fallait « l'intervention d'un personnage haut placé » pour qu'il quitte sa geôle. J'en connaissais au moins un : Mme de Maintenon, l'épouse secrète du Roi. Mais j'avais fui Saint-Cyr et j'étais bannie. Alors comment l'approcher ?

Il me parut pourtant que la seule solution était celle-là et j'affirmai à Simon :

— Je vous sauverai !

— Non, ma mie, il ne faut plus vous soucier de moi. Je ne dois ma mauvaise situation qu'à mon impétueux caractère et... à l'amour trop grand que je vous porte. C'est moi qui vous ai entraînée dans cette aventure où je me suis perdu. Je ne veux pas que vous vous y perdiez également. Aussi, je vous en conjure, oubliez-moi. Je vous confie à mes parents qui, j'en suis certain, vous traiteront comme leur fille. Peut-être le calme d'un couvent effacera-t-il de votre mémoire la folie de notre histoire ?

J'avais envie de hurler ! Quoi, oublier notre amour ? Tracer un trait sur ce que nous avions vécu ensemble ? L'oublier lui, dans sa prison ?

C'était au-dessus de mes forces. J'allais répliquer lorsque la porte s'ouvrit sur le gouverneur.

— L'entretien est terminé, annonça-t-il d'une voix forte.

Les gardes, quelques instants plus tôt si débonnaires, saisirent Simon par les bras avec brutalité et le conduisirent hors de la pièce.

— Adieu ! nous lança-t-il en se retournant.

— Adieu ! gémit sa mère, je prierai pour vous !

— Non, pas adieu, au revoir ! répliquai-je.

Et je mis dans mon regard tout l'amour qui me faisait vibrer et la détermination qui m'habitait. Je ne sais s'il comprit que j'allais tout mettre en œuvre pour le sauver ou s'il crut que la douleur m'avait rendue folle.

27

Ma décision était prise.

Je l'exposai brièvement à mes amis dès que nous fûmes de retour à l'auberge.

— Retourner à Saint-Cyr, n'est-ce pas vous... vous jeter dans la gueule du loup ? s'étonna Héloïse.

Afin que Mme de Lestrange n'eût pas la mauvaise idée de me demander pourquoi il m'était impossible de regagner la Maison Royale d'Éducation, j'enchaînai rapidement :

— J'éviterai Saint-Cyr, mais j'irai à la Cour... c'est là que se tiennent les personnes influentes capables de sauver Simon.

Mme de Lestrange sortit soudain de l'apathie qui l'avait saisie en quittant la prison.

— Ah, mademoiselle, votre courage est sans pareil... jamais je n'oublierai ce que vous avez fait pour nous et ce que vous faites pour Simon.

La pudeur m'empêchait de lui répondre que c'était l'amour qui me donnait des ailes.

Comme à l'accoutumée, M. Dunoyer se montra efficace. L'ayant persuadé que plus vite je serais à Versailles, plus j'aurais de chances que mon projet aboutisse, il alla me retenir une place dans la diligence qui partait le lendemain matin.

Je m'y embarquai à l'aube sans bagages après des adieux émouvants à Héloïse et à sa mère et des remerciements chaleureux à M. Dunoyer qui m'avait discrètement donné une bourse pour les frais de mon voyage. Nous promîmes de nous revoir et nous nous séparâmes non sans larmes.

Je les séchai dès que les roues s'ébranlèrent sur les pavés de la chaussée. La tristesse ne pouvait que m'amollir et j'avais besoin de toutes mes forces.

Le voyage se déroula sans incident bien qu'il me semblât fort long. Les bavardages des autres m'ennuyaient et je ne prenais part à aucune conversation tant tout mon être était tendu. Pour éviter que l'on m'importunât, je feignis de somnoler. On m'ignora donc et c'était très bien ainsi.

— Paris ! annonça le cocher.

Mais Paris ne m'intéressait point : la Cour n'y était pas. C'était à Versailles que je devais aller.

Je trouvai sans peine un coche qui s'y rendait. Je payai ma place et montai dans la voiture. Un couple était déjà installé sur la banquette. La femme fronça le nez en me voyant. Je me souvins alors que je portais la même tenue depuis une semaine, qu'elle devait être bien fripée et poussiéreuse et que mes cheveux courts, mal dissimulés sous mon chapeau avachi, devaient l'intriguer. Ignorant son mépris, je m'assis à l'autre extrémité. D'autres personnes s'installèrent et j'étais la seule à être aussi misérable. Je fus tentée un moment de descendre pour continuer à pied, puis je me ravisai, pensant qu'au contact de ces gens, j'apprendrais peut-être des nouvelles sur la Cour qui pourraient me servir. Je me terrai dans mon coin et fis, une fois de plus, mine de somnoler tandis que mes oreilles saisissaient tout ce qui se disait.

À l'approche du château, les coches, chaises à porteurs, carrosses, litières, porte-faix, piétons étaient si nombreux que notre cocher avait de la peine à avancer. Lorsqu'il immobilisa enfin les chevaux sur la place d'Armes, la panique me saisit. Et si quelqu'un me reconnaissait ? Un gentilhomme ou une dame ayant assisté à la représentation d'*Esther* ? Et si mon enlèvement avait fait tant de bruit que la police continuait à me rechercher ? Au risque de me casser la jambe, je sautai à terre avant que le marchepied ne fût baissé. J'entendis derrière moi des murmures réprobateurs ; aussi, le capuchon de mon manteau rabattu jusqu'aux yeux, je me fondis dans la foule.

Où aller ?

Vers qui me tourner ? Qui prendrait le risque de m'aider ?

Je ne connaissais personne hormis les dames de Saint-Cyr et mes amies Charlotte, Isabeau et Louise... Mais je ne savais même pas ce qu'il était advenu de Charlotte et de Louise, et ce n'était pas Isabeau, sans doute toujours dans la Maison Royale d'Éducation, qui pourrait m'être d'un grand secours. Et puis comment imaginer une seconde me présenter de nouveau à Saint-Cyr ? J'y serais immédiatement arrêtée pour avoir osé enfreindre la loi royale et avoir donné un si mauvais exemple aux autres.

Une vague de découragement me submergea. Je titubai, prête à me laisser choir sur les pavés pour périr piétinée par les sabots des chevaux.

— Gabriel ! Faites attention à la demoiselle ! cria un homme à son cocher.

Le cocher m'évita de justesse. La peur me fouetta le sang et me remit d'aplomb. En même temps, le prénom lancé par le gentilhomme résonna dans mon cerveau malmené : Gabriel !... Gabrielle ! Gabrielle de Barville ! La demoiselle chez qui Simon m'avait conduite après m'avoir enlevée. Elle, peut-être, me soutiendrait dans mon entreprise.

L'étau qui me broyait la poitrine se relâcha un peu. J'avais une carte à jouer. Une seule. Et je devais la jouer.

Où habitait-elle ?

Je n'en avais pas la moindre idée.

Pas loin de Saint-Cyr assurément, puisqu'il ne nous avait fallu que quelques minutes pour nous réfugier chez elle.

Peut-être en partant de la Maison Royale d'Éducation reconnaîtrais-je le chemin ? Mais où était notre maison ? Les choses les plus simples me posaient problème. C'était désespérant. Je décidai de questionner au hasard une personne qui me paraîtrait sympathique. J'hésitai. Celui-là était trop pressé, celle-là trop bien vêtue et celle-ci trop bavarde avec son compagnon. Enfin, je me dis que le moins compromettant était de m'adresser à l'une des nombreuses marchandes dont les baraques étaient adossées aux murs de l'avant-cour et contre les grilles du parc. La première que j'interrogeai était une marchande de fagots :

— Pourriez-vous avoir l'obligeance de m'indiquer le chemin pour me rendre au château de... de M. de Barville.

Elle empilait des fagots dans le fond de son échoppe étroite et ne daigna même pas se retourner. Elle murmura un « j'connais pas » en se dressant sur la pointe des pieds pour lancer un dernier fagot sur le monticule déjà formé.

Plus loin, je posai la même question à un limonadier en train d'essuyer ses gobelets. Il était d'allure joviale et me dévisagea avec aménité. Trop à mon goût.

— J'en sais rien, demoiselle, mais la Gertrude, elle connaît beaucoup de monde.

Il se pencha à l'extérieur de sa baraque et cria à l'intention de sa voisine qui repassait un plastron brodé :

— Hé ! Gertrude, tu sais où il habite le sieur Barville ?

La repasseuse posa son fer, remit en place une mèche de cheveux qui lui cachait l'œil gauche, souffla et me lança :

— C'est'y qu'tu cherches une place ?

Être prise pour une domestique me piqua. Je n'en laissai rien paraître car, somme toute, cela servait mon projet et je répliquai sur le même ton :

— Oui, da et j'ai ouï-dire qu'on cherchait là-bas une femme de chambre.

— C'est pas une mauvaise maison. J'y ai travaillé quelque temps. T'as une lettre de recommandation au moins... sinon...

Prise au dépourvu, je bredouillai :

— Heu... oui... de... du sieur... Pontchartrain.

Elle émit entre les dents un petit sifflement admiratif.

— Fichtre, tu connais du beau monde. Et pourtant... t'as tout l'air d'un chat battu... si tu veux la place, faut que tu sois présentable, viens-t'en là que je t'attife !

Avant d'avoir eu le temps de répliquer, elle me tira par le bras derrière un paravent et m'ordonna de me dévêtir. Pour ne pas geler sur place, je m'emmitouflai dans une vieille pèlerine qu'elle me tendit. Nous étions au début de décembre et le ciel bas et gris annonçait la neige. Elle secoua mon jupon et ma jupe pleine de poussière, redonna un peu de brillance à l'étoffe en la lissant du plat de sa main humidifiée dans l'eau d'un seau, repassa mon bustier, puis m'aida à me rhabiller. Ensuite, elle tapa contre la cloison de bois qui la séparait de l'autre baraque et cria :

— Mariette, tu veux bien coiffer cette petite. Elle cherche une place, m'est avis qu'avec cette tête-là, on la prendra pour une mendiante.

Je passai dans la boutique de Mariette qui commença par se lamenter sur la coupe et la couleur de mes cheveux. Elle se mit pourtant au travail. Deux heures plus tard, alors que j'avais souffert le martyre sous ses coups de brosse et que je m'impatientais, estimant que je perdais un temps précieux en fariboles, elle voulut à tout prix me farder. Elle me lava la peau à l'eau de rose, la blanchit d'une crème, me poudra et me rosit les joues et les lèvres. Je craignais qu'elle en fasse trop et qu'elle ne me transforme en courtisane. C'était, après tout, ce qu'elle était habituée à faire aux portes du château. Satisfaite du résultat, elle me tendit enfin un miroir sur lequel je jetai à peine un regard. Le visage qui m'apparut me déplut. Je n'eus pas le courage de le lui dire. Ma patience était à bout et je retournai vitement chez la repasseuse afin qu'elle m'explique comment me rendre chez Gabrielle de Barville. Après s'être extasiée sur ma transformation, elle consentit à m'indiquer la direction. Je lui demandai alors un papier pour l'écrire.

— Vous savez donc lire et écrire ? s'étonna-t-elle.
— Un peu.

Elle n'avait ni papier ni encre et j'essayai de retenir toutes les indications qu'elle me donna. Après quoi, je pris la route.

28

Le début du trajet fut aisé, car les directions indiquées par Gertrude étaient fraîches dans ma mémoire. Je me persuadai qu'en une heure je serais rendue. Hélas, je déchantai lorsque après les dernières maisons de Versailles la plaine m'apparut. Tous les bois, les prairies, les chemins se ressemblaient et ils étaient particulièrement boueux. J'ôtai donc mes chaussures afin de ne les point salir et c'est nu-pieds que j'avançai.

Avisant un paysan dirigeant un attelage de bœufs dans un champ, je l'interpellai :

— Pourriez-vous avoir l'obligeance de m'indiquer la demeure du sieur de Barville ?

Il me dévisagea d'un œil intrigué. Je me rendis compte alors que mon langage de jeune fille bien éduquée, ma coiffure et mon maquillage apprêté étaient en contradiction avec le fait que je fusse à pied (et même pieds nus) sans un valet pour m'accompagner et sans chaise à porteurs. Il ôta son chapeau, se gratta le crâne de sa main sale, cracha par terre, marmonna quelques mots inintelligibles et enfin, il me désigna un monticule boisé :

— C'est par là, just' derrière.

Après quoi, il claqua de la langue pour faire démarrer ses bœufs.

Ainsi, je n'étais plus très loin.

Dès que j'aperçus la grille du parc, je m'assis sur un talus, j'essuyai mes pieds dans l'herbe fleurie de givre puis je les glissai à nouveau dans mes souliers. Me souvenant que Simon avait conduit sa monture derrière le bâtiment, j'ignorai la majestueuse allée plantée d'arbres dénudés pour emprunter une sente sur la gauche et je marchai jusqu'à la porte de la tour, que je reconnus aussitôt. Je frappai. Personne ne répondit. Gabrielle n'était pas là. Je décidai de l'attendre tapie derrière un if parfaitement taillé. Le soir tombé, elle n'était toujours pas de retour. Je grelottais de froid. La perspective de passer la nuit dehors m'épouvanta. Je longeai alors la bâtisse jusqu'à la porte de l'office. Je frappai. Cette fois elle s'ouvrit sur un homme déjà âgé qui me dit être le majordome.

— J'ai ouï-dire que mademoiselle de Barville cherchait une femme de chambre, mentis-je.

J'étais à présent si habituée aux mensonges qu'ils me venaient presque naturellement. Je me promis de les confesser scrupuleusement à un prêtre.

— Cela m'étonne, Maman est à son service depuis cinq ans et elle semble donner entière satisfaction à mademoiselle.

La crainte d'être chassée me rendit inventive et je poursuivis avec aplomb :

— Alors, c'est une demoiselle de compagnie dont elle a besoin. Je sais lire, écrire, compter, je peux rédiger son courrier et lui faire la lecture d'ouvrages en latin.

Il me toisa, se demandant sans doute si j'avais vraiment autant d'instruction que je le prétendais. Mais, ne voulant pas commettre une bévue, il me fit entrer dans l'office.

— Attendez là. Mademoiselle ne va pas tarder. Elle vous recevra. Et gare à vous si vous m'avez trompé !

Il devait être plus de dix heures lorsque j'entendis le roulement des roues et le martèlement des sabots des chevaux sur les pavés de la cour.

J'étais toujours dans le noir, appuyée contre le mur de l'office ; des crampes m'engourdissaient les jambes, mais je n'avais pas osé m'asseoir de peur d'attirer les foudres du majordome. Des bruits de voix me parvinrent, puis des bruits de pas. Le majordome ouvrit la porte. Il tenait un chandelier à la main et la lumière me fit cligner les yeux. Je priai pour que Gabrielle me reconnût et comprît que j'avais menti sur ma condition afin de l'approcher.

— Voilà, dit l'homme, c'est la jeune personne qui vient pour une place de demoiselle de compagnie.

Je vis, en un éclair, qu'elle m'avait reconnue, car elle enchaîna :

— Oui. Parfaitement.

Puis, s'adressant à moi, elle poursuivit pour signifier qu'elle me connaissait :

— Vous êtes... Hortense, n'est-ce pas ? Il est bien tard, vous devez être fatiguée. Allons dans ma chambre, nous y discuterons de la place que je souhaite vous offrir.

— Je vous remercie, mademoiselle, lui répondis-je en exécutant une petite révérence.

— Léon, veuillez préparer la chambre de la tour pour mademoiselle.

Léon nous laissa le chandelier et, allumant une bougie à la flamme d'une chandelle, il sortit.

— Vous ici ? s'étonna alors Gabrielle. Mais que vous est-il donc arrivé et où est Simon ?

Comme lors de notre première rencontre, une flèche de jalousie me traversa le cœur. Je mis toutes mes forces à en ignorer la douleur car même si elle sauvait Simon par amour, au moins le sauverait-elle, alors que moi je ne savais comment m'y prendre.

— Simon a été arrêté alors que nous tentions de franchir la frontière. Il est emprisonné à Lyon.

Elle pâlit et me regarda comme si j'étais la seule coupable. Je baissai la tête, incapable de supporter ses reproches.

— Ah, quelle folie avez-vous commis tous les deux !

Je ne lui fis pas remarquer que c'était Simon qui avait pris la décision de m'enlever de Saint-Cyr et qu'en aucun cas je n'avais approuvé ce geste bien qu'il m'eût donné par la suite le bonheur de vivre quelques jours avec lui.

— Bon, l'heure n'est plus aux lamentations et si vous êtes ici, c'est que vous avez besoin de moi, n'est-ce pas ?

— Oui. Simon avait confiance en vous et je viens vous supplier de le secourir.

— Ce ne sera pas chose aisée. Il serait préférable que mes parents n'apprennent pas votre identité... Je leur dirai que vous êtes ma nouvelle demoiselle de compagnie... cela passera pour un caprice, mais ils ne me refusent rien. Ensuite, nous aviserons.

Elle soupira avant de continuer :

— Votre enlèvement a fait grand bruit à la Cour. Il faut dire qu'on s'y ennuie beaucoup et que le moindre événement est prétexte aux bavardages. Pendant plusieurs jours cela a alimenté les conversations. Il y avait ceux qui se pâmaient devant cette si belle histoire d'amour et il y avait ceux qui vous blâmaient d'avoir succombé aux charmes d'un valet sans le sou et d'avoir quitté une maison où le Roi vous comblait de ses bienfaits. À présent, d'autres affaires ont pris le relais. La Cour a constamment besoin de nouveaux scandales pour se sentir exister.

Elle bâilla et conclut :

— Je vous guide vers votre chambre. La nuit porte conseil. Demain, je vous présenterai à mes parents.

Je me dévêtis et me glissai avec délectation dans les draps propres. Hélas ! ce bien-être n'empêcha pas toutes sortes de pensées sombres de me tourmenter. J'allais devoir encore mentir, encore me cacher. Parviendrais-je à faire libérer Simon ? Et qu'était-il advenu d'Héloïse, de sa mère et de M. Dunoyer ? Avaient-ils pu regagner le Vivarais sans encombre ? M. de Lestrange était-il toujours en vie ? Épuisée, je finis pourtant par m'assoupir. C'est le croassement lugubre des corbeaux qui me réveilla.

CHAPITRE

29

Gabrielle me présenta le lendemain après-dînée à ses parents qui bavardaient dans le salon, son père accoudé à la cheminée où le feu crépitait, sa mère assise dans une chaise à bras, une tasse de chocolat fumant à la main. J'avais passé la matinée à me reposer, puis à baigner dans un bain chaud avant de prendre le repas seule dans ma chambre car « mademoiselle était sortie avec madame sa mère pour assister à la messe et visiter, avec monsieur le curé, les pauvres de la paroisse ».

— Père, mère, voici la nouvelle demoiselle de compagnie que je viens d'engager. Elle se prénomme Hortense de Beauregard. Elle m'est recommandée par mon amie Marie-Rose... Elles étaient dans le même couvent.

Gabrielle avait dû inventer cette fable dans la nuit. Je gardai modestement les yeux baissés, ce qui évita que l'on pût lire la surprise dans mon regard.

— Ah ? Je n'ai point le souvenir que vous cherchiez une demoiselle de compagnie, grommela M. de Barville.

— Je n'en cherchais point, mais Hortense n'a plus de famille et n'a donc ni dot pour se marier, ni pension pour payer son entrée au couvent comme novice. C'est œuvre de charité que de la prendre à mon service.

Je n'appréciai point trop d'être rabaissée de la sorte, mais je l'acceptai pour l'amour de Simon.

— Dans ce cas..., laissa tomber M. de Barville qui n'avait sans doute pas l'habitude de s'opposer aux caprices de sa fille.

— Et puis, ajouta Gabrielle à l'intention de sa mère, elle lit couramment le latin et nous fera la lecture des textes saints.

Ce dernier argument emporta l'adhésion de Mme de Barville.

— Une demoiselle sérieuse et cultivée à vos côtés ne pourra que vous être profitable. Cependant, je vous conseille de l'attifer un peu mieux, sinon on la prendra pour une fille de cuisine, ce qui serait fort préjudiciable pour notre maison.

Je rougis jusqu'à la racine des cheveux, mais je réussis à exécuter une révérence correcte avant de sortir du salon.

Dès que nous fûmes seules, Gabrielle éclata de rire :

— Voyons, quittez ce visage outré ! Mère n'a pas voulu vous blesser, mais elle a une si haute idée de notre nom et elle rêve pour moi d'une si haute destinée qu'elle ne supporterait pas que la moindre critique parvînt à ses oreilles... même s'il ne s'agit que de la tenue de ma demoiselle de compagnie. L'important, c'est que, puisque à présent vous faites partie de notre maison, vous n'avez plus à vous cacher. Ce soir, le duc de Chartres, fils de Monsieur[1], donne une fête à Saint-Cloud. J'y suis invitée et vous m'accompagnerez !

— Oh, non ! Je... je n'y serais pas à ma place... la Cour n'est pas pour moi !

— C'est pourtant le seul endroit où nous trouverons des appuis pour sortir Simon de prison.

Que ce soit elle qui me le rappelât me fit l'effet d'une gifle. C'est le mot « fête » qui m'avait

---

1. Philippe II d'Orléans (1674-1744) est le fils du frère de Louis XIV (Monsieur) et de Charlotte Élisabeth de Bavière, princesse Palatine.

perturbée. Je ne me sentais pas le droit de m'amuser alors que celui que j'aimais souffrait.

— Mais... si Mme de Maintenon ou le Roi me reconnaissent !

— Ils n'y seront ni l'un ni l'autre, ce n'est qu'un divertissement donné pour la jeunesse. Chaque prince ou princesse en organise pour pallier l'ennui qui s'installe peu à peu à Versailles... Que voulez-vous, ma chère, le Roi vieillit et Mme de Maintenon est une parfaite bigote qui ne rêve que d'interdire tous les plaisirs de la Cour.

Les paroles de Gabrielle me parurent offensantes pour ma bienfaitrice, mais je ne lui en fis pas la remarque. Et puisqu'il nous fallait de l'aide, ce n'est point en demeurant cachées que nous en obtiendrions.

— Venez, allons choisir une tenue dans ma garde-robe ! me proposa-t-elle. Il y en a tant et tant que vous en dénicherez certainement une qui vous conviendra.

Cette fille était déroutante et j'avais un peu de mal à cerner sa personnalité. Elle était à la fois courageuse et futile et passait en une seconde du sérieux au rire. Ma tenue était le dernier de mes soucis quand tout mon être ne pensait qu'à sauver Simon.

Elle me conduisit dans une pièce sans fenêtre. Des coffres étaient alignés le long d'un mur, tandis que des jupes étaient suspendues à des portants de bois. Elle appela sa femme de chambre, qui parut presque instantanément dans l'encadrement de la porte. C'était une jeune fille mince au visage rougeaud et souriant, aux cheveux bruns cachés dans un petit bonnet blanc.

— Manou, dit Gabrielle, Hortense est ma demoiselle de compagnie. Aide-la à choisir une tenue correcte pour ce soir. Tu sais mieux que moi ce qu'il y a dans toutes ces malles.

Manou ouvrit les coffres et en sortit des jupons de fin linon brodé, des corsets, des bas, des jupes en moire, en tabis[1], en taffetas, des vertes, des roses, des bleues, des jaunes, des chamarrées, ainsi que des fanfreluches, des dentelles, des pièces d'estomac brodées de fil d'or et d'argent. J'étais ébahie de voir tant de vêtements pour une seule personne.

— Prenez celle qui vous plaît ! m'encouragea Gabrielle, je les ai toutes déjà portées et il est du plus mauvais goût de paraître deux fois dans la même tenue.

— Choisissez pour moi, je n'ai aucun goût pour les frivolités, lui lançai-je, blessée qu'elle me considérât comme une pauvresse à qui elle faisait l'aumône d'une de ses nippes.

---

1. Étoffe de soie.

— Mais c'est que vous avez du caractère !

— Il en faut lorsqu'on n'a point de fortune.

— Moi j'ai la fortune et un fichu caractère, me répondit-elle avec humour, et je vous demande de me pardonner ma bévue. Je n'ai point voulu vous offenser, mais simplement vous donner les moyens de paraître à votre avantage à la Cour.

— Veuillez m'excuser... j'ai les nerfs à fleur de peau et un rien me fait sortir de ma docilité naturelle.

— Eh bien n'en parlons plus !

Elle saisit une jupe de taffetas bleu pervenche ornée de galons pourpres que Manou venait de sortir d'une malle.

— Essayez cela, il me semble que la couleur mettra en valeur la blancheur de votre peau et la flamboyance de votre chevelure.

J'enfilai la jupe sur les jupons blancs et Manou m'aida à fixer le justaucorps rebrodé de fleurs pourpres sur la chemise.

— Oh, mademoiselle, on dirait que cette tenue a été cousue pour vous ! renchérit la femme de chambre.

— Vous êtes ravissante ! s'enthousiasma Gabrielle qui me conduisit devant un miroir placé entre les deux fenêtres de sa chambre.

Je n'avais jusqu'à ce jour porté que la robe brune des demoiselles de Saint-Cyr, puis une des robes de voyage de Claude-Marie de Boisjourdan et enfin une robe achetée en Suisse pour quelques pistoles... rien de comparable avec la splendeur de celle qui m'habillait. J'aurais voulu y demeurer insensible, mais ce fut plus fort que moi. Je passai la main sur l'étoffe pour le plaisir d'entendre le crissement de la soie, je touchai la finesse de la dentelle et je suivis du doigt le tracé des borderies... J'aperçus alors mon reflet souriant dans la glace et je m'en voulus.

Devinant sans doute le tourment qui m'agitait, Gabrielle me dit :

— Il n'y a point de mal à se montrer coquette si c'est pour obtenir la grâce de Simon.

— Vous croyez ?

— Certes. Et lorsque Louisette, ma camériste, vous aura apprêté, aucune demoiselle ne pourra rivaliser avec votre charme. Je vous laisse, j'ai quelques petites choses à régler et je dois, moi aussi, me préparer. Rendez-vous dans le grand salon vers sept heures.

Elle me claqua un baiser sur la joue et décréta :

— Je sens que nous allons bien nous entendre, Hortense.

Le reste de l'après-dînée se passa en préparatifs. Louisette boucla ce qu'il me restait de cheveux au fer, les poudra abondamment pour en atténuer le feu et y accrocha quelques rubans. Après quoi, elle entreprit de me blanchir la peau d'une crème grasse qu'elle poudra derechef, me posa une touche de rose sur les pommettes, puis, se reculant de quelques pas pour admirer son travail, elle conclut :

— Vous êtes parfaite !

Il me sembla que depuis quelque temps on prenait trop soin de ma personne, et cela me gêna.

Lorsque je parus dans le salon, je lus l'étonnement dans les yeux de M. de Barville et un rien d'agacement dans ceux de son épouse. Gabrielle coupa net aux questions que l'on aurait pu me poser en affirmant :

— Hortense fait, aujourd'hui, son entrée dans le monde. J'ai tenu à ce qu'elle soit éblouissante.

— C'est réussi, lâcha M. de Barville.

— Peut-être même un peu trop. Il serait du plus mauvais effet que votre dame de compagnie vous fasse de l'ombre, grinça Mme de Barville.

— N'ayez crainte. Hortense saura rester à sa place.

Une fois encore, Gabrielle me vexait. Toutefois, me souvenant de son baiser sur la joue quelques heures plus tôt, j'en déduisis qu'elle ne le faisait pas exprès. Il est vrai que Judas avait bien embrassé le Christ avant de le livrer à ses bourreaux. Je m'en voulus d'avoir cette pensée malsaine, mais l'humiliation ne fait pas naître de bons sentiments.

CHAPITRE

30

En montant dans la voiture habillée de velours cramoisi et garnie de carreaux moelleux, j'avais été étonnée d'y distinguer sur la caisse les armoiries d'un comte.

— Eh oui, m'avait expliqué Gabrielle, mon arrière-grand-père a acquis ce titre en servant loyalement Henri IV.

Cela m'impressionna, et je pensai aussitôt que ce rang lui permettrait d'approcher quelques grands personnages de la Cour susceptibles de nous venir en aide.

La voiture cahotait en direction de Saint-Cloud, et comme à cause du froid les mantelets de cuir avaient été abaissés sur l'ouverture des fenêtres, les parfums musqués et variés dont s'étaient inondées Mme de Barville et sa fille m'incommodèrent. Lorsque cette dernière avait approché de moi sa buire à parfum[1], je l'avais repoussée.

— Vous le regretterez, les effluves de tubéreuses chassent les miasmes. Et certains gentilshommes sentent si mauvais qu'il est appréciable de porter sur soi une odeur agréable.

Le cocher dut se frayer un passage parmi les nombreuses voitures, litières et chaises à porteurs venues déposer les invités dans la cour éclairée par des centaines de candélabres tenus par des valets en livrée. Comme je m'extasiais d'y voir presque comme en plein jour, Gabrielle se moqua :

— Vous m'amusez ! Il est vrai que vous sortez juste de votre couvent, mais vous verrez comme la vie est plaisante dès que l'on met le nez dehors.

Je me renfrognai. Les divertissements ne m'intéressaient point. J'étais là dans un seul but : sauver Simon. J'eus peur que Gabrielle en eût perdu le souvenir.

Dès le premier salon, je fus éblouie. Je ne savais qu'admirer le plus. La lumière des milliers de bougies qui faisait étinceler les bijoux, miroiter la soie

---

1. Récipient à bec et à anse, en général en verre de Venise.

des vêtements et resplendir les meubles et la vaisselle d'argent, les pyramides de pâtes de fruits, confitures, citrons, oranges sur les buffets, les boissons diverses : chocolat, liqueurs, sorbets, eaux de fruits de toutes sortes, vins doux, les tableaux de grands peintres accrochés aux murs et les tapis que nous foulions aux pieds. C'est eux que je regardais le plus car, pour éviter d'être reconnue, je marchais la tête baissée. Ma hantise étant de me retrouver nez à nez avec un gentilhomme ou une dame qui s'écrirait :

— Ne jouiez-vous pas dans *Esther* ?

Gabrielle, quant à elle, se déplaçait avec grâce. Elle adressait une petite révérence à une dame dont la tête semblait ployer sous le poids des perles, souriait à un gentilhomme, échangeait quelques mots avec une demoiselle, s'esclaffait, pour cacher ensuite son rire derrière son éventail, picorait un fruit confit. J'étais, pour ma part, incapable d'avaler quoi que ce soit, tant j'avais la gorge nouée.

Gabrielle me tenta en me présentant une pâte de fruits odorante et comme je la refusais, elle me gronda :

— Ce n'est point en baissant le front et en affichant une mine affligée que vous aiderez Simon.

— C'est que je crains de croiser quelqu'un de ma connaissance.

— Pensez-vous donc avoir un visage si inou-
bliable que celui qui vous aurait aperçue quelques
minutes dans *Esther* vous reconnaîtrait ?

Sa pique me moucha. Mais elle avait raison. J'avais
péché par orgueil. Je me sentis soudain libérée d'un
grand poids et j'acceptai un verre d'eau d'orgeat.

Gabrielle entra dans un salon où étaient dressées
des tables de jeu.

Je la suivais comme un chien suit sa maîtresse.
J'admirais son aisance tout en sachant que cette vie
de parade n'était point celle qui me convenait.

Elle s'approcha d'une table où des gentilshommes disputaient une partie de bassette. Ne
voulant pas montrer mon ignorance pour ces jeux de
cartes, je m'adossai contre la boiserie d'une fenêtre.
Gabrielle connaissait beaucoup de monde car elle fut
saluée fort courtoisement. Bientôt, un homme quitta
la table de jeu pour la suivre. Ils se dirigèrent vers la
cheminée pour converser à l'abri des oreilles indis-
crètes. Je suppose qu'elle lui parla de Simon, car
l'homme tourna vers moi un visage si dur qu'il
m'effraya. Une minute plus tard, il planta là Gabrielle
et quitta la pièce comme si une urgence l'appelait
ailleurs. Gabrielle vint vers moi, fort mécontente.

— J'ai expliqué votre cas au comte de Chaulieu,
un ami de ma famille. Il refuse de lever le petit
doigt pour un ancien huguenot. Et quand il a su

que Simon vous avait enlevée à Saint-Cyr, j'ai cru qu'il allait s'étrangler !

— Il m'a semblé en effet qu'il n'était pas très coopératif.

— Je comptais pourtant sur lui. Mais ce rustre est une poule mouillée. Il a osé me dire : « Si cela avait été pour vous, ma chère amie, j'aurais donné ma vie, mais je ne vais pas risquer ma réputation pour quelqu'un qui n'est pas même de notre monde. »

— On peut le comprendre.

— Non. Il est de ces gens qui se prétendent vos obligés tant que l'on n'a pas besoin d'eux et se dérobent dès qu'on les appelle. Mais je ne m'avoue pas encore vaincue. Je pars de ce pas à la recherche du duc de Chevreuse. Lui ne me refusera rien. Il est amoureux de moi.

— Mais n'êtes-vous pas promise au comte de Tillet-Montrame ?

— Certes, mais Chevreuse l'ignore et il me fait toujours une cour assidue.

— N'est-ce pas... jouer avec le feu et déplaire à votre fiancé et à vos parents ?

Elle émit un petit claquement agacé de la langue et me jeta un œil courroucé.

— Décidément, Hortense, vous êtes trop sage ! Il vous faut un peu plus d'audace si vous voulez sauver Simon !

Elle sous-entendait que je n'étais pas prête à tout tenter pour venir en aide à Simon ? C'était faux ! Fâchée, je pinçai les lèvres et lui emboîtai le pas pour voir comment elle allait s'y prendre.

Le duc de Chevreuse était jeune et le somptueux costume qu'il portait mettait en valeur une allure des plus nobles. Il s'inclina devant Gabrielle et devant moi.

— Qui est donc la charmante personne qui vous accompagne ? s'informa-t-il.

— C'est... ma nouvelle demoiselle de compagnie, Hortense de Kermenet.

Il avait été convenu que mon nom ne serait pas prononcé. Gabrielle l'avait-elle oublié ? Elle entraîna le duc vers l'encoignure d'une fenêtre pour lui narrer notre histoire, je les suivis, gardant une distance respectueuse entre eux et moi.

— Voici donc la jouvencelle par qui le scandale est arrivé ! s'exclama le duc.

— Oh, monsieur, bien malgré moi... et à dire vrai je n'ai jamais souhaité fuir Saint-Cyr.

— J'excuse volontiers le sieur de Lestrange. N'importe quel gentilhomme aurait eu à cœur de vous arracher à ce couvent pour vous épouser le plus promptement possible. Cependant, je dois vous avouer que Mme de Maintenon a été très affectée par cette histoire. Elle a réprimandé les dames de Saint-Cyr pour leur laxisme. Il paraît même qu'elle a sermonné le Roi en lui disant qu'à l'avenir il devrait s'abstenir d'entrer dans la cour de cette maison avec ses équipages.

Une bouffée de chaleur m'empourpra. Ainsi le geste inconsidéré de Simon avait semé la discorde entre Mme de Maintenon et le Roi. Comment tous deux pourraient-ils me le pardonner ? J'aurais voulu disparaître sur l'heure tant la honte m'accablait.

Le duc de Chevreuse, percevant mon trouble, ajouta avec plus de douceur dans la voix :

— Il faudra agir discrètement, très discrètement...

— Nous comptons sur vous, mon ami, susurra Gabrielle en jouant gracieusement de son éventail.

— Vous savez bien, chère Gabrielle, que je ne saurais rien vous refuser et si à votre tour vous pouviez m'accorder un peu plus d'attention, je serais comblé.

— Vous serez mon cavalier pour la première contredanse !

— Vous m'en voyez ravi.

— Mais n'oubliez pas le fiancé de mon amie. Il faut vous en occuper au plus vite.

— C'est que l'affaire est délicate. Se précipiter ne servirait qu'à envenimer les choses, cependant je vous promets de commencer à poser quelques jalons auprès des proches de Mme de Maintenon pour connaître le meilleur moyen d'arriver à nos fins.

Les violons commençant à jouer dans le salon voisin, le duc de Chevreuse proposa son poing à Gabrielle, qui y posa sa main, et tous deux entrèrent dans la salle pour danser. Je restai plantée dans l'encoignure de la fenêtre à ressasser les paroles du duc. Je n'avais pas du tout imaginé que mon départ ferait autant de dégâts à Saint-Cyr et à la Cour. En prendre conscience était éprouvant. Que les maîtresses de Saint-Cyr à qui je devais tout aient été blâmées me confondait. Sans doute l'ambiance de notre maison en avait-elle été perturbée et peut-être même mon amie Isabeau avait-elle été grondée pour m'avoir laissée seule quelques instants. Avais-je le droit, par amour pour Simon, de semer la peine et le désordre autour de moi ?

Combien de temps demeurai-je ainsi appuyée contre les carreaux ? Je l'ignore. La musique me parvenait comme dans un songe et je ne prêtais aucune attention aux gens qui jouaient ni à ceux qui entraient ou sortaient de la pièce. Soudain, une voix masculine s'inquiéta :

— Vous ne vous sentez pas bien, madame ?

— Heu... non... enfin si... un peu fatiguée.

— Venez donc vous asseoir sur la banquette.

Le gentilhomme qui s'était incliné devant moi me désigna un siège recouvert de velours à l'autre bout de la pièce. Je m'y dirigeai et m'y laissai choir.

— Un verre de vin cuit vous redonnerait des couleurs, me suggéra-t-il.

Je hochai la tête.

Quelques instants plus tard, il me tendit le breuvage puis se présenta : il se nommait Joseph de Chancel. J'ébauchai un sourire sans dévoiler mon identité. Dans l'état où j'étais, il m'était impossible de m'en inventer une. Je trempai mes lèvres dans le verre. L'alcool me requinqua un peu, mais ma lucidité n'étant point entamée, l'horreur de ma situation ne s'estompa pas. Devant mon mutisme, le gentilhomme s'éloigna, craignant peut-être d'avoir affaire à une malade.

Brusquement, Gabrielle fut devant moi et s'étonna :

— Mais que faites-vous là, derrière ce billard ?

— Je... je pensais.

— Pendant tout ce temps ?

— Je ne sais pas. Quelle heure est-il ?

— Deux heures après minuit et nous partons.

Je me levai difficilement.

— Il y avait tant de monde dans la salle de bal que j'ai cru que vous y étiez aussi et que vous vous amusiez.

— L'amusement n'est point pour moi, je vous l'ai déjà dit. Je veux sauver Simon.

— Moi aussi, je le veux. Mais, une fois encore, ce n'est pas en vous cachant que vous réussirez.

Agacée par ces remarques, je répliquai, :

— Et vous, y avez-vous réussi en dansant ?

— Le duc de Chevreuse m'a promis de s'en occuper dès demain.

— Espérons qu'il tiendra sa promesse.

Mais, je ne sais pourquoi, je n'y croyais pas.

CHAPITRE

31

Plusieurs jours durant, je jouai mon rôle de demoiselle de compagnie le mieux possible. À dire vrai, il ne consistait qu'à bavarder avec Gabrielle, à l'aider à choisir un chapeau, des rubans ou un nouveau tissu pour la confection d'une robe, à l'accompagner à l'église du village pour entendre la messe, et à faire la lecture à Mme de Barville. Gabrielle ne prisait pas les séances de lecture. Elle y bâillait sans discrétion. Cela énervait sa mère, qui finissait par la chasser :

— Retournez donc à vos chiffons et laissez-moi savourer la voix suave d'Hortense.

Je m'appliquai de mon mieux. Outre que ce travail m'empêchait de ressasser mes malheurs, il était la garantie, tant que je donnerais satisfaction, d'avoir un toit.

Las, dès que je n'étais point occupée, je me morfondais dans l'attente des nouvelles du duc de Chevreuse. Chaque fois que j'entendais les hennissements d'un cheval dans la cour, mon cœur s'affolait, espérant que le duc de Chevreuse allait être annoncé. Ce n'était jamais lui.

Un soir, je fis part de mon inquiétude à Gabrielle. Elle essaya de me rassurer :

— C'est que, voyez-vous, il ne doit pas être simple d'obtenir l'appui d'un prince ou d'une princesse pour une affaire si grave... et agir avec tact prend du temps.

— Nous n'en avons guère. Et si par malheur Simon part à la chaîne avant que nous ayons pu le faire libérer...

Ma voix se brisa.

— Allons, du courage ! Notre affaire n'est entre les mains du duc que depuis une semaine.

— Dix jours.

— Ah, déjà ?

Moi, je comptais les jours. Et chaque nuit, en me couchant, je pensais : « Pourvu que demain il ne soit pas trop tard. »

Parfois, les après-dînées, Gabrielle et sa mère étaient invitées par quelques dames des alentours qui tenaient salon de musique ou de littérature. Je n'y étais pas conviée et les heures alors s'écoulaient, monotones. Je restais frileusement blottie devant la cheminée, tantôt rêvant d'un avenir plaisant avec Simon, tantôt imaginant sa dure vie aux galères et la mienne à soigner mon père vieillissant dans notre misérable demeure bretonne.

Un soir, Gabrielle revint particulièrement excitée et m'annonça :

— Je suis invitée à un concert donné à Saint-Germain par la reine Marie de Modène. Je suis folle de joie ! Être présentée à la famille royale d'Angleterre[1] est un grand honneur.

— Je vous félicite.

— Vous en serez aussi ! Il y aura tellement de monde que personne ne remarquera un invité de plus ou de moins et nous y reverrons certainement le duc de Chevreuse.

À Saint-Germain, il y avait Louise et si par chance, le hasard nous mettait en présence, quel bonheur ce serait de la revoir ! Elle me narrerait sa nouvelle vie et je lui ferais partager ma peine et mes angoisses, comme du temps où nous étions à

1. Jacques Stuart (1633-1701), roi d'Angleterre et d'Écosse, s'étant converti au catholicisme alors que ses sujets étaient en majorité anglicans, fut obligé de fuir l'Angleterre en décembre 1688 et de se réfugier chez son cousin Louis XIV à Saint-Germain. Marie de Modène était sa seconde épouse. Voir *Le Secret de Louise*.

Saint-Cyr. Une vague de nostalgie m'envahit. Saint-Cyr. J'y avais été si heureuse. Avais-je eu raison de le quitter ?

Gabrielle me tira de ma rêverie en s'exclamant :

— Il me faut une nouvelle robe ! Et si je m'en faisais tailler une dans cette soie bleue que le drapier nous a fait admirer hier ?

— Heu... oui... ce serait parfait.

Je me moquais éperdument de sa tenue et je m'étonnais qu'elle y attachât tant d'importance quand c'était le sort de Simon qui devait seul nous préoccuper.

Le drapier lui confectionna en quelques jours une superbe robe de soie bleue qui s'ouvrait sur une jupe de satin ivoire assortie aux dentelles ornant le décolleté et les manches. Il ajouta une mante de lainage crème doublée de fourrure, car nous étions en décembre et il gelait à présent toutes les nuits. Pour moi, il arrangea une robe que Gabrielle avait déjà portée à Fontainebleau et dont l'étoffe avait été endommagée par la pluie qui s'était déversée en trombe alors qu'elle sortait de sa voiture. Il ajouta quelques rubans, reprit la taille et resserra la poitrine car j'étais beaucoup moins en chair que mon amie.

— Ah, M. Benzoni, vous êtes le meilleur drapier de France ! le félicita Gabrielle.

Le soir du concert, nous mîmes longtemps à nous apprêter. Enfin, surtout Gabrielle, qui n'était jamais satisfaite de sa coiffure que Louisette recommença plusieurs fois. Quant à moi, après que la jeune cameriste se fut encore lamentée sur mes cheveux courts, elle réussit à force de rubans, de piques et d'épingles à les domestiquer pour faire croire qu'ils étaient longs, abondants et blonds. Pour la récompenser de ces efforts, je lui assurai :

— Louisette, vous avez des doigts de fée !

Elle sourit.

— J'espère que grâce à mon travail, Mademoiselle passera une agréable soirée.

Ce n'était pas ce qu'il fallait me souhaiter, mais elle l'ignorait.

Malgré l'air glacial, j'arrivai fiévreuse à Saint-Germain.

Excitée, Gabrielle n'avait pas cessé de babiller dans la voiture. Sa mère lui avait demandé plusieurs fois de se calmer, mais elle n'y parvenait que quelques minutes.

— C'est que je ne connais pas Saint-Germain et il paraît que les fêtes y sont aussi fastueuses qu'à Versailles.

— Ce n'est qu'un concert, lui rétorqua sa mère.

Elle fit la moue et garda le silence un peu plus longtemps.

Comme à Saint-Cloud, il y avait foule devant le château illuminé par les torches tenues par des valets portant les couleurs de la famille d'Angleterre. La voiture nous laissa un peu avant la cour d'honneur, dans laquelle seules les voitures des princes et princesses de sang avaient le privilège de s'arrêter. Je m'enroulai dans la mante prêtée par Gabrielle et nous avançâmes en nous tenant le bras pour éviter que le pied ne nous tournât sur les pavés.

Un majordome nous délivra de nos mantes, puis nous nous dirigeâmes vers une suite de salons où des tables croulaient sous les victuailles de toutes sortes quand d'autres supportaient des fontaines et des cruches de boissons variées. Une fois encore cette profusion de vivres me choqua. Gabrielle, elle, piocha allègrement dans les plats de sucrerie, faisant même s'écrouler une pyramide d'oranges en choisissant celle qui lui parut la plus belle et qui en formait la base. Elle fit mine d'être confuse, mais il me sembla que c'était là un moyen d'attirer l'attention de quelques gentilshommes qui se précipitèrent pour ramasser les fruits. À sa place, j'aurais été morte de honte. Les cheminées dans lesquelles crépitaient d'énormes bûches répandaient une chaleur qui ne me réchauffait pas. L'anxiété et le froid m'avaient glacé les mains et les pieds.

Pour faire bonne contenance, je saisis un fruit confit et le gardai à la main tout en cherchant le duc de Chevreuse dans la foule. Je ne le vis point, ce qui me désespéra.

Soudain, la reine Marie de Modène fut annoncée.

Elle parut, magnifiquement vêtue d'une robe ciel rebrodée de fil d'argent. Nous plongeâmes toutes dans une profonde révérence. Et je sus gré aux dames de Saint-Cyr de nous avoir appris à la bien faire. Souriante, la Reine échangea quelques mots avec des dames, puis traversa la pièce. Dès qu'elle fut passée, je me redressai et, là, j'eus un coup au cœur en apercevant, dans son sillage, une de ses dames d'atours.

— Louise ! criai-je.

Elle se tourna vers moi et son visage exprima la même stupeur que si elle avait vu une apparition :

— Hortense !

Nous restâmes quelques secondes face à face à nous dévisager. Spontanément, je lui tendis les mains, elle les serra avec effusion tout en lançant de droite et de gauche des regards inquiets. Puis elle m'entraîna dans l'encoignure d'une fenêtre et reprit à voix basse :

— Hortense ! Je m'attendais si peu à vous voir ici !

Son attitude méfiante ne m'avait pas échappé et elle tempérait la joie de nos retrouvailles.

— Et... me revoir ne vous enthousiasme pas outre mesure.

— Oh, si, mon amie, mais c'est que... on colporte à votre sujet de bien vilaines choses... La police du Roi a longtemps été à votre recherche...

— Vous craignez pour votre réputation si l'on nous surprend ensemble ? répliquai-je sèchement.

— Grand Dieu, non ! Je crains pour vous. Je ne veux pas que l'on vous arrête, et pour cela mieux vaut nous montrer discrètes.

Sa réponse me soulagea.

— Vous connaissez donc ma lamentable histoire ?

— Oui. Toute la Cour en a eu vent. Simon a eu l'audace de vous enlever sous les yeux du Roi. J'espère au moins que cette folie vous a apporté le bonheur de vivre avec celui que vous aimez ?

— Non point, hélas ! Simon a été arrêté. Il est...

Une dame s'approcha de nous, me coupant net la parole.

— Louise, Sa Majesté vous réclame... et M. Charpentier aussi.

— J'arrive, assura Louise avant de me proposer tout bas : Retrouvons-nous dans le petit salon bleu au deuxième étage dès la fin du concert. Il me semble que vous avez beaucoup de choses à me conter... et vous verrez que j'en ai aussi.

— De bonnes ? lui demandai-je tandis qu'elle courait derrière la dame d'honneur.

Elle n'eut pas le temps de me répondre. Les violons s'accordaient et la foule se dirigea vers la salle des Comédies.

Apercevant Gabrielle, je lui emboîtai le pas.

CHAPITRE

32

La salle dans laquelle nous pénétrâmes était immense bien qu'elle fût encombrée d'une estrade où les musiciens avaient pris place. Je remarquai tout de suite la grande cheminée dont le manteau était orné d'une salamandre, emblème du roi François Ier qui l'avait fait construire. La famille royale était déjà installée. De la pointe de son éventail, Gabrielle me désigna deux gentilshommes assis juste derrière le Roi :

— Le duc de Berwick et le duc d'Albemarle, les fils illégitimes du Roi.

Gabrielle voulut se faufiler pour être le plus près possible des princes, ce qui était de la plus haute impolitesse, chacun devant rester à la place que son rang lui conférait. Je refusai de la suivre. Je n'avais pas intérêt à ce que l'on me remarquât.

— Le duc de Berwick est absolument charmant, et il pourrait peut-être s'occuper de notre affaire, me glissa-t-elle à l'oreille alors que les violons commençaient à jouer.

— Mais, n'est-ce point le duc de Chevreuse qui s'en charge ?

— Il est sur ses terres et nous ne le verrons pas de plusieurs jours. Je vais donc chercher l'appui d'un autre gentilhomme et le prince me paraît tout indiqué.

Elle me planta là et disparut de ma vue dans un froissement d'étoffe.

Je redécouvris avec plaisir la voix harmonieuse de Louise. Elle avait gagné en pureté et en puissance et il me sembla que ses aigus et ses modulations atteignaient la perfection. Fermant les yeux un instant, je me crus dans la chapelle de Saint-Cyr... et cela me fut doux.

Dès qu'elle ne chanta plus, l'impatience me tourmenta. J'aurais voulu que le concert finisse sur l'heure, tant j'avais hâte d'entendre ce qu'elle avait à me conter sur sa vie et tant j'étais pressée de partager ma peine avec elle. Car je n'avais aucun doute à ce sujet, elle saurait m'écouter et me réconforter mieux que quiconque parce que Saint-Cyr avait créé entre nous un lien indestructible.

Pendant les minutes qui suivirent, mon esprit s'évada pour me faire revivre les années heureuses dans notre maison. Ce sont les applaudissements qui me tirèrent de ma rêverie. J'applaudis à mon tour et, avant d'être prise dans la foule qui se mouvait soit pour aller présenter ses grâces au Roi et à la Reine, soit pour quitter la salle, je me dirigeai vers l'escalier conduisant à l'étage. Redoutant de m'égarer, je demandai à un laquais où se situait le salon bleu.

— Au premier étage, c'est le salon des dames d'honneur de la Reine, mais il n'y a personne en ce moment, elles sont toutes avec Sa Majesté dans la salle des Comédies.

Je le savais fort bien. J'espérais seulement que Louise serait à notre rendez-vous.

Je toquai discrètement à la porte. Une voix me demanda d'entrer. Je pensai qu'il s'agissait de Louise arrivée avant moi et je poussai la porte. Une jeune soubrette qui apportait des chandeliers allumés les posa sur un guéridon et m'interrogea :

— Vous venez solliciter une place dans la maison de la Reine ?

— Heu... non... je viens voir Louise de Maison-blanche et...

À ce moment-là, Louise entra, souriante, détendue.

— Laissez-nous, Gisèle, nous avons à parler, dit-elle à la soubrette.

— Bien, Mademoiselle, lui répondit la jeune fille avant de quitter la pièce.

L'assurance de Louise m'étonna. Elle n'avait plus rien de l'amie timide et gauche que j'avais connue à Saint-Cyr. Elle me proposa de m'asseoir dans l'un des fauteuils recouverts de velours bleu et or qui meublaient la pièce. Elle en prit un face à moi et m'annonça :

— J'ai quelques minutes de liberté, la reine se repose. Je suis si heureuse de vous revoir !

— Moi aussi... Pourtant les circonstances qui m'ont conduite jusque-là sont bien tristes...

— Racontez-moi !

Je lui narrai tout.

— Vous avez bien du mérite à vous être occupée ainsi de la famille de Simon et vous voilà fort mal récompensée. Est-ce que quelqu'un vous aide dans votre entreprise ?

— Gabrielle de Barville a sollicité l'appui du duc de Chevreuse, mais nous n'en avons plus de nouvelles. Elle doit, en ce moment même, parler de Simon au fils du Roi d'Angleterre.

— J'ai entendu dire que Charlotte était à la Cour. Elle est amie avec Marguerite de Caylus. Il faudrait la rencontrer.

— Elle n'y est plus. Et personne ne sait ce qu'elle est devenue.

— Il est vrai que je l'ai croisée une fois et qu'elle m'avait paru soucieuse... J'espère que rien de fâcheux ne lui est arrivé.

— Je l'espère aussi. Ce qui est rassurant, c'est que Charlotte a un tempérament de feu lui permettant de se sortir des pires difficultés. Ce n'est point mon cas et si personne ne me tend la main, Simon est perdu.

— Ah, mon amie, soupira Louise, les gens de Cour ne sont guère habitués à s'entraider. Chez eux, tout se paie, et si vous n'offrez pas une contrepartie au service que l'on vous rend, vous n'obtenez rien.

— Je sais tout cela, et plus j'y pense plus je suis persuadée que personne ne voudra prendre le risque de mécontenter le Roi en s'occupant d'une affaire qui l'a si fortement contrarié.

— Si, moi, lâcha Louise.

— Vous ?

— Oui. Depuis mon départ de Saint-Cyr pour la maison de la Reine d'Angleterre, ma vie a changé.

Elle caressa du doigt la broche ornée d'un rubis taillé en forme de cœur fermant le haut de son bustier. C'était un magnifique bijou. Surprenant mon regard, elle m'annonça :

— Un cadeau du Roi. Mon père.

— Ainsi c'est vrai. Vous êtes la fille du Roi. Je me souviens du jour où Marguerite de Caylus nous l'a appris, j'avais eu de la peine à le croire[1]. Cela semblait si extraordinaire... Il vous a donc reconnue ?

— Hélas ! il n'y a rien d'officiel. Sa Majesté souhaite que le secret demeure. Mais il a rendu la liberté à ma mère, qui vit maintenant à quelques lieues de Versailles, et il m'a accordé la main de l'homme que j'aime.

— Oh, Louise, je suis si heureuse pour vous !

— Merci... Et si justement, je pouvais, à mon tour, vous faire partager un peu de ce bonheur... je serais comblée.

— Je ne vois pas comment, chère Louise...

— Eh bien, mais en parlant au Roi, mon père !

— Non, non, ce serait compromettre un lien que vous venez juste de tisser entre lui et vous !

— C'est bientôt Noël et vous connaissez la ferveur du Roi à l'approche des fêtes religieuses... Dieu est pardon et amour. La nativité est le moment le plus favorable pour le lui rappeler discrètement.

---

1. Voir *Les Comédiennes de Monsieur Racine.*

— Vous... vous feriez cela pour moi ?

— Oui, en souvenir de nos années passées à Saint-Cyr. Je ne vous promets pas de réussir, mais je vais essayer. Maintenant je vous quitte avant que la Reine ne s'étonne de ne point me voir à son côté.

— Merci, Louise... Jamais je n'oublierai votre geste...

CHAPITRE

33

Je contai à Gabrielle ma rencontre avec Louise. Elle fut soulagée d'apprendre que le destin de Simon était entre de bonnes mains. Elle m'avoua que le duc de Berwick n'avait pas montré beaucoup d'enthousiasme à l'idée de faire libérer un prisonnier du Roi de France et qu'elle n'avait plus aucune nouvelle du duc de Chevreuse.

— Ces messieurs ne s'empressent autour de nous que pour avoir le plaisir de nous séduire mais se dérobent dès qu'il s'agit d'entreprendre quelque chose qui nuirait à leur position à la Cour. Ah, le temps des chevaliers qui se faisaient tuer pour les beaux yeux de leur dame est bien fini !

Moi, j'avais mon chevalier. Il m'avait enlevée sans se soucier des dangers auxquels nous nous exposions et il risquait de payer de sa vie son amour pour moi. Je ne le lui fis pas remarquer. Je soupçonnais que sa future union avec le sieur de Tillet-Montrame, arrangée par sa famille, ne comportait pas une once d'amour, et il aurait été du plus mauvais goût de le lui rappeler.

L'attente commença.

Chaque jour j'espérais voir surgir un cavalier m'apportant un message de Louise. Le soir, je me couchais déçue et anxieuse.

Gabrielle me rabrouait :

— Voyons, Hortense, une telle requête nécessite du doigté et du temps.

— Nous n'en avons pas. Il se peut que Simon parte demain pour les galères ou pour peupler un de ces pays lointains dont on dit le climat si malsain que les hommes y meurent comme des mouches... et alors...

— Ne soyez pas si pessimiste.

Malgré la confiance que j'avais en Louise, je ne pouvais m'empêcher d'imaginer le pire. Le remords me rongeait. Tout était de ma faute. Si mon regard n'avait pas croisé celui de Simon... si j'avais refusé son amour... si je n'avais pas fui Saint-Cyr, Simon aurait continué à vivre sereinement à la cour dans le sillage de M. de Pontchartrain.

Les jours s'accrochaient les uns aux autres avec une désespérante lenteur. Rien ne parvenait à me distraire. Gabrielle faisait pourtant des efforts pour m'intéresser aux frivolités qui la passionnaient mais cela m'irritait au plus haut point. J'aurais de loin préféré qu'elle me laissât dans la tristesse et la solitude de ma chambre. Souffrir les mêmes affres que Simon me rapprochait de lui.

Je ne mangeais plus et dormais à peine.

Il me sembla même à un instant que la folie me guettait.

En effet, je m'étais mis dans l'idée que lorsque le sort de Simon serait scellé, un cavalier, peut-être mandé par M. Dunoyer, viendrait m'annoncer mon infortune. Aussi, chaque fois qu'un cheval entrait dans la cour, je tremblais de tous mes membres puis je courais m'enfouir sous les draps de mon lit pour retarder l'instant de l'effroyable nouvelle.

Une fois encore, Gabrielle tenta de me raisonner. Je ne l'écoutais point tant j'étais tourmentée.

Je continuai cependant à assurer mon rôle de lectrice auprès de sa mère : c'étaient les seules minutes où je ne pensais pas à Simon.

La semaine précédant la Noël, Mme de Barville insista pour que j'assiste aux offices religieux dans l'église du village. Pour ne pas la froisser, je l'accompagnai donc et j'essayai, grâce à la prière, d'acquérir un peu de sérénité. Au retour de la messe, j'étais effectivement moins nerveuse et l'espoir m'éclaira quelques heures. Mais les nuits étaient toujours aussi angoissantes.

Une après-dînée, alors que, assise devant la cheminée, je lisais à Mme de Barville une tragédie chrétienne intitulée *Debora*, une calèche, entourée de deux cavaliers aux couleurs de la famille d'Angleterre, entra dans la cour. Prise par ma lecture, je n'eus point le temps de m'inquiéter. Louise fut introduite dans le salon par le majordome :

— Louise de Maisonblanche, demoiselle d'honneur de Sa Majesté la Reine d'Angleterre.

Mme de Barville se troubla et ébaucha même une révérence. Je supposai que la rumeur avait couru dans Versailles que Louise était de sang royal et mon hôtesse ne savait trop quelle attitude adopter.

D'un geste de la main, Louise arrêta Mme de Barville, la salua fort courtoisement et s'enquit de sa santé.

J'essayai de lire sur le visage de mon amie quelle était la nature du message qu'elle venait me délivrer. Il me sembla qu'elle n'avait pas une mine triste, ce qui me tranquillisa quelque peu.

Étonnée par la présence chez elle de cette fille de Roi, Mme de Barville lui demanda l'objet de sa visite. J'eus peur un instant que Louise ne dévoilât mon histoire à mon hôtesse, qui en ignorait tout. Heureusement, en vivant à la cour, elle avait acquis l'art de la dissimulation et elle annonça :

— Je suis porteuse ce jour d'hui d'une bonne nouvelle pour Hortense. Son cousin la recherche pour en faire sa femme. Il sera ici dans quelques jours.

Je compris le message : Simon était sauvé. Je poussai un cri et me laissai choir sur le fauteuil d'où je m'étais levée pour accueillir Louise. Mon cœur menaçait de se décrocher de ma poitrine, j'avais la tête en feu et je ne parvins même pas à articuler une parole. C'est Mme de Barville qui répondit à ma place :

— Eh bien, merci, mademoiselle, de vous être personnellement déplacée. Je suis heureuse pour Hortense, mais je regrette de perdre une si agréable lectrice.

Recouvrant mes esprits, je demandai :

— Permettez-vous, madame, que je raccompagne Louise jusqu'à sa voiture ?

— Faites, mon enfant.

Dès que nous fûmes dehors, je noyai mon amie sous un flot de questions :

— Louise, vous avez réussi ? Comment ? Où est Simon ? Est-il vraiment sauvé ?

— Il est sauvé. Une lettre de cachet signée du Roi ordonnant sa libération est envoyée ce matin même pour la prison de Lyon.

Je lui saisis les mains et les baisai avec émotion.

— Comment avez-vous fait ?

— Ce ne fut pas facile. Il a fallu attendre le moment opportun pour parler au Roi. C'était il y a trois jours... La Musique de la Chambre, dont j'ai l'honneur de faire partie, fut appelée pour un concert privé dans les appartements du Roi. Sa Majesté, incommodé par un léger refroidissement, souhaitait entendre ses airs préférés. Je mis tout mon cœur et ma voix à le satisfaire. J'y réussis, car il me retint quelques instants alors que les autres musiciens quittaient la pièce. Il dit tout le bien qu'il pensait de moi. L'instant était propice pour lui parler de vous et de Simon... mais je tremblais qu'il ne me rabrouât.

— Comme je vous comprends. On dit que les colères royales sont terrifiantes. Il a, paraît-il, cassé sa canne sur le dos d'un domestique qui volait une dragée dans un plat.

Louise haussa les épaules et reprit :

— À la fin de ma requête, le Roi fronça les sourcils et lâcha : « Je verrai. » Mais chacun sait, à la Cour, que le Roi prononce cette phrase pour se débarrasser des importuns. Je me suis permis d'insister en mettant en avant l'amour que vous éprouvez l'un pour l'autre. Eh bien, ma chère, c'est au nom de cet amour que le Roi accepte de libérer Simon !

— Il... il n'a point parlé de religion ?

— Non. Il garda un instant le silence et chuchota pour lui seul : « Ah, l'amour, il est vrai qu'il nous fait commettre bien des folies ! » Puis il me dit : « Louise, demain, je ferai libérer le fiancé de votre amie. » Je me suis jetée à ses pieds pour le remercier. Il m'a relevée et a simplement ajouté : « Gardons cela secret, voulez-vous ? Qu'un roi de mon âge se laisse attendrir par une histoire de cœur pourrait faire jaser la cour, qui a bien assez de motifs pour se divertir à mes dépens. »

— Oh, Louise, Sa Majesté fait de moi la plus heureuse des femmes. Quand verrai-je Simon ?

— J'ai remis au messager votre adresse et une bourse afin que Simon puisse s'acheter des vêtements et un cheval. Il devrait être là dans deux ou trois jours.

L'émotion me submergea, des larmes de joie brouillèrent ma vue et je balbutiai :

— C'est le plus beau jour de ma vie.

— Je suis fière d'y avoir contribué. Mais aider une de mes amies de Saint-Cyr ne m'a point coûté, au contraire, c'était comme si je portais secours à un membre de ma famille. Je suis certaine que vous auriez agi de même.

Incapable de répondre, je hochai la tête. Avant qu'elle remontât dans la voiture, nous nous étreignîmes.

— Lorsque vous aurez retrouvé Simon, venez me voir, cela me fera plaisir de le connaître. Et moi je vous présenterai mon promis, le chevalier Bertrand de Prez.

La voiture s'éloigna dans l'allée et mon attente commença.

Lorsque Gabrielle descendit du salon de musique où son professeur venait de lui donner sa leçon de clavecin, je lui racontai tout.

— Je me doutais bien d'un événement important. J'avais aperçu par la fenêtre la voiture aux armes de la famille royale d'Angleterre. Mais le sieur Gazzoti n'a point voulu interrompre son cours pour me laisser descendre.

Elle partagea ma joie.

Que dire des jours qui suivirent ?

Ils furent à la fois joyeux et terriblement angoissants. Tantôt je riais pour un rien, tantôt le doute me rongeait. Pourvu que le messager n'ait pas été attaqué par des voleurs ! Pourvu qu'il n'ait pas été bloqué par une tempête de neige et qu'il ne soit pas mort de froid ! Pourvu qu'il soit arrivé à temps ! Et lorsque mon cerveau voulait bien me persuader que le messager avait rempli sa mission et que Simon était libre, les mêmes questions revenaient : pourvu que Simon ne souffre pas du froid ! Pourvu qu'il ne soit pas tué en route par des bandits ! Pourvu qu'il arrive vite enfin !

Gabrielle m'obligea à choisir une nouvelle robe, un nouveau chapeau, des rubans, des dentelles pour faire honneur à Simon. J'étais quant à moi bien persuadée qu'il se moquerait de ma tenue, mais cela me permit de me changer les idées quelques minutes.

Et puis, un matin, alors que plusieurs fois je m'étais inutilement précipitée dehors parce qu'un cavalier s'arrêtait dans la cour, j'entendis hennir un cheval. J'étais en chemise et je terminais ma toilette. Je regardai par la fenêtre. Un éclair me transperça : c'était lui.

Je dévalai l'escalier pieds nus, j'ouvris la porte à la volée. Il sauta de cheval, courut vers moi et ouvrit les bras. Je m'y jetai. Il me serra contre lui, et, au détriment de toutes convenances, il me fit tournoyer en criant :

— Hortense... Je vous dois la liberté et sans doute la vie...

Des larmes de bonheur coulaient sur mes joues et je ne pouvais que répéter plus doucement :

— Enfin, vous voilà... je n'y croyais plus...

— Voulez-vous être ma femme ? me demanda-t-il brusquement.

C'était la phrase que j'attendais et je criai presque :

— Oui ! Oui ! Oui !

Retrouvez la suite des aventures des Colombes dans :

Le rêve d'Isabeau

L'illustratrice

Aline Bureau est née à l'Orléans en 1971. Elle a étudié le graphisme à l'école Estienne puis la gravure aux Arts décoratifs à Paris. C'est dans l'illustration qu'elle s'est lancée en travaillant d'abord pour la presse et la publicité et depuis peu pour l'édition jeunesse.

L'auteur

En un quart de siècle, Anne-Marie Desplat-Duc a publié une quarantaine de romans dont beaucoup ont été primés. Rien de surprenant quand on sait que sa passion est l'écriture et qu'elle y consacre tout son temps. Comme elle aime les enfants, c'est pour eux qu'elle écrit des histoires qui finissent bien. Vous pouvez toutes les découvrir sur son site Internet : **http://a.desplatduc.free.fr**

Chez Flammarion, elle a déjà publié :

- **Dans la collection « Premiers romans »**
  Les héros du 18 :
  1. *Un mystérieux incendiaire*
  2. *Prisonniers des flammes*
  3. *Déluge sur la ville*
  4. *Les chiens en mission*

- **Dans la collection « Castor Poche » :**
  - *Le Trésor de Mazan* (N° 388)
  - *Félix Têtedeveau* (N° 514)
  - *Un héros pas comme les autres* (N° 742)
  - *Une formule magicatastrophique* (N° 1023)
  - *Ton amie pour la vie* (N° 1086)

- **En grands formats :**
  Marie-Anne, fille du roi :
  1. *Premier bal à Versailles*
  2. *Un traître à Versailles*

  - *L'Enfance du Soleil*

Les Colombes du Roi-Soleil

Des jeunes filles rêvent d'aventure
et de succès. Élevées aux portes
de Versailles, les Colombes du Roi-Soleil
volent vers leur destin...

PARTAGEZ LE DESTIN
DES COLOMBES DU ROI-SOLEIL
AVEC HUIT TOMES
PARUS EN GRAND FORMAT

LES COMÉDIENNES
DE MONSIEUR RACINE

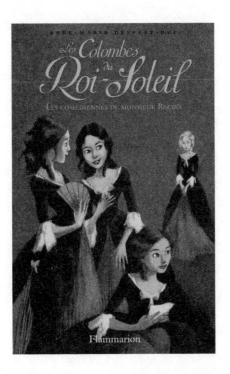

Le célèbre Monsieur Racine écrit une pièce de théâtre pour les élèves de madame de Maintenon, les Colombes du Roi-Soleil. L'occasion idéale pour s'illustrer et, qui sait, être remarquée par le Roi. L'excitation est à son comble parmi les jeunes filles. Y aura-t-il un rôle pour chacune d'entre elles ?

LE SECRET DE LOUISE

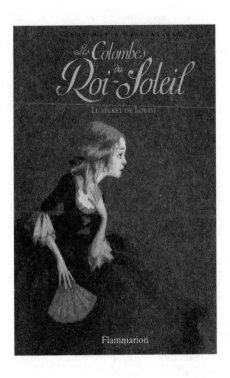

*G*râce à ses talents de chanteuse, Louise est remarquée par la Reine d'Angleterre, qui lui demande de devenir sa demoiselle d'honneur. Elle quitte à regret Saint-Cyr et ses amies. Mais, très vite, elle fait des rencontres passionnantes et des découvertes qui vont l'aider à lever le voile sur le mystère qui entoure sa naissance...

CHARLOTTE LA REBELLE

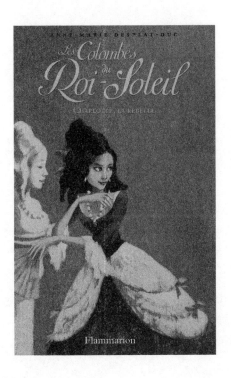

*C*harlotte décide de s'enfuir de Saint-Cyr et de quitter cette existence rangée qui ne lui convient pas. Une nouvelle vie l'attend à la cour de Versailles, une vie de fête, de liverté, de joie. Une découverte vient pourtant troubler son bonheur : son fiancé, François, a disparu. Charlotte ne s'avoue pas vaincue. Elle est prête à tout pour le retrouver !

LE RÊVE D'ISABEAU

$\mathcal{D}$epuis que ses amies ont quitté Saint-Cyr,
Isabeau rêve de réaliser, à son tour, son vœu le plus cher :
devenir maîtresse dans la prestigieuse institution
de Madame de Maintenon. Elle doit, pour cela,
avoir une conduite irréprochable. Or, elle se retrouve,
bien malgré elle, au cœur d'une affaire d'empoisonnement.
Isabeau voit son rêve s'éloigner...

ÉLÉONORE ET L'ALCHIMISTE

$\mathcal{P}$romise contre son gré à un baron, Eléonore quitte Saint-Cyr pour la Saxe. Si elle accepte ce sacrifice, c'est parce qu'il a promis d'aider ses sœurs dès qu'ils seront mariés. Hélas, rien ne se passe comme prévu ! Eléonore s'éprend de Johann, un jeune alchimiste qui recherche le secret de la transmutation du plomb en or. Elle décide de tout faire pour l'aider à réaliser son rêve !

Un corsaire nommé Henriette

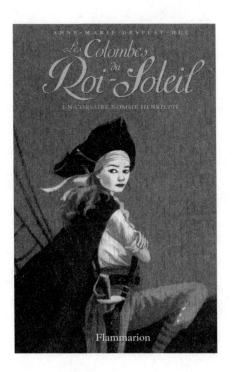

*O*riginaire de Saint-Malo, Henriette est un garçon manqué. Amoureuse du vent et de la mer, elle ne rêve que de bateaux, au grand désespoir de sa mère.

A Saint-Cyr, elle se lie d'amitié avec ses compagnes de fortune, mais elle n'est pas faite pour l'étude, le calme, ni la prière. Elle décide donc de reprendre sa liberté et d'aller au-devant de l'aventure pour réaliser son destin...

GERTRUDE
ET LE NOUVEAU MONDE

Pour sauver son amitié avec Anne, Gertrude a commis une lourde faute et purge sa peine en prison. Mais une opportunité s'offre à elle : partir pour le Nouveau Monde. Là-bas, elle espère retrouver enfin la liberté et le bonheur. Pourtant, elle ne se doute pas des obstacles qui jalonneront sa nouvelle existence...

l'Enfance du Soleil

ANNE-MARIE ✦ DESPLAT-DUC

« On a beaucoup écrit sur moi, ou plutôt sur le grand roi que je suis devenu, le Roi-Soleil. Mais l'enfant, qui en a parlé ? Ma jeunesse a été faite de joies, de peines, d'amours, d'amitiés et de trahisons. L'absence d'un père, les tourments d'un pays en guerre, l'affection d'un frère et d'une mère, l'amour de la belle Marie Mancini... Qui, mieux que moi, saurait les raconter ? J'ai décidé de prendre la plume. Et s'il se peut que je mélange un peu les dates, pour les sentiments, en revanche, je n'ai rien oublié. »

MARIE-ANNE
FILLE DU ROI

DÉCOUVREZ LA NOUVELLE SÉRIE
DE ANNE-MARIE DESPLAT-DUC

1674.

Marie-Anne, élevée loin de la cour, apprend qu'elle est la fille du Roi Soleil. Prévenue des dangers d'une vie fastueuse, Marie-Anne s'apprête à découvrir Versailles et à faire son entrée dans la lumière.

Soudain, tous les regards se tournent vers elle…

🦋 Retrouve tout l'univers de la série des *Colombes du Roi Soleil* en créant des accessoires de rêve : gants, éventail doré, cape, loup, carnet secret, broche…

🦋 Toutes les créations sont photographiées et illustrées étape par étape pour un résultat garanti !

🦋 En cadeau : du matériel pour réaliser un superbe loup.